O TRONO DA RAINHA JINGA

ALBERTO MUSSA

O TRONO DA RAINHA JINGA

5ª edição

EDITORA RECORD
RIO DE JANEIRO • SÃO PAULO
2023

CIP-BRASIL. CATALOGAÇÃO NA PUBLICAÇÃO
SINDICATO NACIONAL DOS EDITORES DE LIVROS, RJ

M977h   Mussa, Alberto, 1961-
5. ed.   O trono da rainha Jinga / Alberto Mussa. - 5. ed. - Rio de Janeiro :
Record, 2023.

ISBN 978-65-5587-621-5

1. Rio de Janeiro (RJ) - História - Romance. 2. Romance
brasileiro. I. Título.

CDD: 869.3
22-80147   CDU: 82-311.6(81)

Meri Gleice Rodrigues de Souza - Bibliotecária - CRB-7/6439

Copyright © Alberto Mussa, 1999

Projeto gráfico de box e capas: Leonardo Iaccarino

Todos os direitos reservados. Proibida a reprodução, armazenamento ou
transmissão de partes deste livro, através de quaisquer meios, sem prévia
autorização por escrito.

Texto revisado segundo o Acordo Ortográfico da Língua Portuguesa de 1990.

Direitos exclusivos desta edição reservados pela
EDITORA RECORD LTDA.
Rua Argentina, 171 – Rio de Janeiro, RJ – 20921-380 – Tel.: (21) 2585-2000.

Impresso no Brasil

ISBN 978-65-5587-621-5

Seja um leitor preferencial Record.
Cadastre-se em www.record.com.br
e receba informações sobre nossos
lançamentos e nossas promoções.

EDITORA AFILIADA

Atendimento e venda direta ao leitor:
sac@record.com.br

Nota prévia da segunda edição

Concebi *O trono da rainha Jinga* para o formato clássico da novela policial, com crimes, investigadores, múltiplos suspeitos e um mistério que só se desvenda nas últimas páginas.

Seguindo minhas próprias preferências, fiz um livro de pequena extensão, para ser lido num fim de semana comum, ou em três ou quatro dias. Mas recebi inúmeras queixas, de leitores que desejavam uma obra de fôlego.

As razões variavam: uns gostavam mesmo de livros maiores, mais pesados, que assustassem as pessoas; outros adorariam conviver mais tempo com as personagens — e reivindicavam de trilogias a decamerões da rainha Jinga.

Uma terceira categoria, no entanto, tinha argumentos menos pessoais. Eram leitores experimentados nesse tipo de ficção, cujo grande prazer era desvendarem a trama antes das tradicionais últimas páginas.

Para esse grupo, meu problema era a excessiva concisão, meu desrespeito aos fundamentos próprios do romance — que é, por excelência, o gênero da redundância.

Esse defeito, embora não impedisse, prejudicava o trabalho deles, que tinham por vezes de reler passagens, para colher dados eventualmente perdidos em momentos de desatenção. Era isso que tornava desleal a disputa entre mim, autor onisciente, e eles, especialistas em policiais.

Decidi, assim, nesta segunda edição, eliminar o problema, fornecendo aos decifradores de enigmas todos os elementos indispensáveis à solução do mistério.

Todavia, em vez de incluir novos capítulos, como me foram sugeridos, preferi modificar certas frases fundamentais. Nessa operação, acrescentei 66 palavras, cortando somente outras 58; o que deu ao texto um saldo positivo de 8 vocábulos — na prática, quase uma linha.

Aqueles que, como eu, não levam a literatura a sério, ou têm mais coisas a fazer, não precisarão se incomodar com este considerável incremento: a história continua a mesma, tão misteriosa quanto a de todas as mulheres.

1

Quando Gonçalo Unhão Dinis, ouvidor-geral por provimento régio com jurisdição nas capitanias do sul, apeou — em 1626 — frente à matriz do Castelo, caminhou mais alguns passos e se fez anunciar à minha porta, não estava movido unicamente de interesse público.

É verdade que as denúncias da prelazia mereciam consideração. O próprio magistrado ouvira falar (aliás, todos tinham ouvido falar) da chamada *heresia de Judas*, corrente entre os escravos, segundo a qual o Iscariotes impedira a vitória plena de Cristo sobre o mal. Obviamente, Unhão Dinis não teria que fazer nessa história, se o prelado não estivesse imputando a esse suposto grupo herético (a *irmandade*, no dizer do vulgo) a autoria dos estranhos crimes que vinham alarmando a população.

Tudo começou — ou pareceu começar — quando dois frades carmelitas foram encontrados nos arredores da praia, amarrados, despidos, cobertos de excrementos e escarificações, não obstante a bolsa de um deles restasse intacta.

Reanimados, não souberam responder por que nem por quem tinham sido reduzidos àquela condição. Lembravam apenas que cruzavam o campo de Santo Antônio, à noite, quando foram surpreendidos por malfeitores armados de faca e pau.

Nada ainda havia sido apurado, houve o assalto ao trapiche, culminado no incêndio em que um vigia das ordenanças pereceu. Logo em seguida envenenaram o alcaide — ao que tudo indica, obra de uma escrava não identificada. E chegou-se ao cume do pânico com a chacina do engenho do Irajá — onde assassinaram os agregados, humilharam a família dos senhores e puseram toda uma senzala em liberdade.

Inicialmente (como vim a saber), Unhão Dinis não aceitara a teoria do prelado; mas mudara de opinião quando sobreveio o incidente da Cadeia Pública. E tinha vindo ali, ao meu solar, precisamente para pedir socorro.

Eu, Mendo Antunes, armador estabelecido nesta cidade desde 1623, tão logo soube da inesperada visita, temi que o magistrado tivesse vindo me incomodar com aquela história das medidas sanitárias contra a estripação a céu aberto das minhas baleias. E não me fiz demorar.

Desci ao salão, passei pela calunga que orgulhosamente mantinha sobre o aparador de ébano, certifiquei-me de que o visitante admirava minhas alcatifas e o cumprimentei friamente, afetando pressa. Do que logo me arrependi. Gonçalo tinha uma história diferente.

Acompanhei então, já tranquilo, a narração dos fatos. O caso era que — há coisa de dois dias — os detentos foram acometidos de violento mal-estar, com febres, vômitos e diarreias — sintomas de uma presumível tentativa de envenenamento. Não houve vítimas, exceto um índio. O feito parecia encaixar-se na sequência de sinistros a que a cidade passivamente assistia; e o ouvidor-geral exigiu um inquérito rigoroso.

Forçado a depor, o carcereiro declarou ter visto, em atitude oblíqua, próximo à cadeia, às vésperas da ocorrência, um cativo da casa do próprio Unhão Dinis.

Já me interessava pelo enredo, mas ainda não compreendera por que eu, um simples armador, fora chamado a colaborar na elucidação do problema. Foi quando o magistrado concluiu:

— Então, mandei encarcerar o suspeito. Também achamos, na cozinha da cadeia, por trás de umas sacas de farinha, uma espécie de odre, atado a uma alça de couro cru para ser usado a tiracolo, que continha, além de uma pequena faca (obra de forjador grosseiro), um curioso manuscrito, ao que parece vazado em língua de negro. Ouvi dizer que vossemecê, Mendo, saberia traduzi-la.

Não pude disfarçar uma vaga expressão de constrangimento. Não que sentisse propriamente vergonha: receava apenas que meu passado não lhe parecesse tão alto quanto eu mesmo o sentia. E tentei dissimular:

— Vossa Excelência já experimentou interrogar o tal escravo sobre isto?

Gonçalo hesitou:

— Talvez não tenha sido claro. Mandei encarcerar o suspeito; mas, antes que a guarda o alcançasse, soubemos que já não era visto em casa desde a alvorada.

2

O manuscrito por mim interceptado, e que agora submetia àquele homem singular, era de fato enigmático. Tratava-se de um pedaço de papel de carta, já bastante amarelado. Estava dentro do odre, formando um pequeno rolo, oculto sob um farrapo de pano sujo, costurado por mão inábil, e envolvia algumas ervas daninhas — em tudo semelhante a esses amuletos típicos das bruxas, também difundidos entre os africanos.

Mendo Antunes — que, segundo ele próprio, aprendera a tal língua por suas andanças em terras de África — pôde ler, não sem dificuldade, o seguinte:

> *múcua njinda*
> *cariapemba uabixe*
> *uajibe tata uajibe mama*
> *uajibe dilemba uajibe muebo*
> *uajibe quitumba bunjila*
> *ni dicata buquicoca*

— Interessante — disse —, tenho a impressão de conhecer esses versos. Não me lembro de onde.

Do que ele chamava *versos*, ou lá o que fosse, deu a seguinte tradução: "Bravo, o diabo chegou. Matou pai; matou mãe; matou tio; matou sobrinho; matou um cego na picada; um aleijado no caminho."

Mirei o armador com profundo desalento. Aquilo não continha qualquer dado objetivo. Parecia um esconjuro, uma fórmula encantatória, uma reza de bruxas, sem um sentido ou um alvo definido. Enfim, não tínhamos obtido nada, nenhuma pista. E preocupava a circunstância de haver gente da minha casa imiscuída nessa irmandade que surgia agora mais perniciosa e aterrorizante que a armada dos batavos.

Súbito, uma gritaria irrompeu, na rua. Deixamos de pronto os papéis e nos acercamos da janela. Era um tumulto, na escadaria da matriz. Mas aquele ajuntamento de vendedores ambulantes, mendigos, transeuntes e desocupados não permitia uma visão da cena. Irritado, Mendo Antunes chamou: "Tião! Eulália! Inácio!" Uma jovem mucama acudiu.

— Que se passa na igreja?

— Um maluco, senhor. Um doente. Faz sermões em nome de Judas. Dizem que quer se matar.

Já me abalava pela porta da frente quando o armador me alcançou. E pudemos assistir ao espetáculo: arqueado, sangrando, vergastando os próprios flancos com um chicote "cavalo-marinho", um escravo era expulso do templo pelo sacristão, que procurava, com pequenos insucessos, se esquivar das chibatadas.

"Desempaca, mula!", "Monta nele, sacrista!" — era o deboche, que dominava e impedia as tentativas sinceras de auxílio. Uma goiaba, de repente, num desvio de rota, veio atingir em cheio o nariz do sacristão, que vacilou, meio tonto, perdendo o reflexo necessário para evitar o impacto do açoite, em pleno rosto.

Naquele instante, a guarda finalmente chegava; e logo se precipitou sobre o escravo — que, abrindo os braços, se oferecia francamente ao linchamento. E teria perdido os sentidos se minha autoridade de ouvidor-geral, acompanhada de Mendo Antunes, não conseguisse romper o cerco da assistência.

Vacilante, o flagelado superou a dor para se pôr de pé: ia pedir perdão ao sacristão ferido; mas estacou de repente. Sua face foi tocada por uma equívoca expressão de ternura. Parecia fixar um ponto qualquer da confusão. Foi quando se conteve; e proclamou a heresia:

— Judas também sofreu. E só deve haver um sofredor para que o mal acabe.

Em seguida, arrebatou o chuço ao cabo da guarda e — com movimentos precisos e rápidos — vazou os próprios olhos, rolando, em desespero, pela escada da matriz.

3

Foi em Goa, 1609, que Mendo Antunes começou a amealhar sua fazenda, quando se interpôs na rota do cravo, da pimenta e da canela, que obtinha a mercadores do interior em escambo com linhos da Holanda e escarlatas florentinas.

Não foi uma empresa fácil: teve de se arriscar, corajosamente, para além da área de influência portuguesa, aprender o concani, disputar fornecedor aos árabes, fazer amizades e conviver com novas formas de violência, diferentes das que conhecera em Coimbra e Lisboa.

Poderia ter ficado rico, lá mesmo. Mas não gostou das Índias. Vivia angustiado, com medo dos alfanjes muçulmanos e dos concorrentes espanhóis. E teve um problema concreto: seu principal fornecedor de pimenta — um brâmane cujo primogênito se convertera a uma daquelas seitas de ascetas mendicantes — abandonou o comércio para seguir a mesma vida de penúria e flagelação.

— Preciso superar o desejo e a dor. É esse o caminho da paz.

Mendo Antunes sentiu um certo desconcerto. Aquilo era um paradoxo. Em sua terra chicoteavam-se e queimavam-se pessoas, mas como forma de punir e eliminar o mal, não como um meio de atingir o bem. E sofreu — é verdade — quando o reencontrou esmolando (de joelhos, porque tinha os pés descarnados pelas brasas), esquálido e ferido, permitindo-se açoitar publicamente, aparentemente feliz.

O brâmane acabou não resistindo. E a viúva — de maneira ainda mais absurda — se deixou lamber numa fogueira. Pouco depois, os herdeiros do negócio penderam definitivamente para os árabes; e Mendo partiu para Angola.

Chegou à África com algum capital, em meados de 1614. Aprendera a não ter medo, a seduzir e a compreender. Por isso conseguiu, burlando a alfândega, vender armas aos jagas do Cassanje, resgatar escravos nas feiras do Lutete e do Lucala e se estabelecer como lançado,[1] por mais de três anos a serviço de Deus e do rei, em Matamba, na corte da rainha Jinga.

Foi em 1619 que vislumbrou pela primeira vez aquela mulher impressionante. Jinga — que se proclamava soberana do Ndongo e de Matamba, não obstante o reinado oficial de seu irmão Ngola Mbande — concedera

---

[1] Comerciante que adentrava o sertão africano, a fim de evitar intermediários na obtenção de mercadorias.

receber Mendo Antunes, que lhe vinha oferecer presentes e aliança.

Cercada de servas, soberbamente trajada, acomodada sobre um trono singular e imponente, a rainha observou os carregadores deitarem a seus pés espingardas, cachaça, lenços de linho, brincos, braceletes, um rapaz quioco e três moças lundas. Sorrindo, debochada, Jinga surpreendeu o mercador quando falou num português perfeito:

— É vossemecê o macaco que me pretende amparar com sua fidelidade?

E não reteve uma sonora gargalhada. Embaraçado, Mendo não soube que dizer. Não fora sua intenção parecer presunçoso à rainha. Mas não quis admitir a ofensa:

— Ouvi Sua Majestade pronunciar *macaco*?

— Ora — disse a rainha —, pois não são macacos os que têm pele branca, pelos pretos e lábios finos?

Súbito, antes que Mendo tentasse articular uma resposta, Jinga fez um sinal aos guardas. Imediatamente, o escravo quioco foi posto ao pé do trono da rainha — que lhe estendia, sugestivamente, uma adaga. Por alguns instantes, o rapaz manteve a lâmina à altura da garganta. Mas tremeu; e terminou — soluçando — por atirá-la ao chão. Jinga, então, se levantou sorridente, apanhou a adaga e acariciou-lhe o fio:

— *Mubika!*[2] — gritou, enquanto decepava, num só golpe, uma orelha ao infeliz.

Minutos depois, a rainha já conversava, animada, eloquente, como se nada tivesse acontecido. Mendo Antunes estranhou quando a viu chamar o escravo mutilado, para servi-lo, carinhosa, com as próprias mãos.

Em 1623, quatro anos depois, o armador que percorrera meio mundo ainda não tinha conseguido compreendê-la.

---

[2] "Escravo" em quimbundo.

4

Já não tinha sido fácil ser mulher de alferes. Viúva, então, muito menos. Meu marido morreu na Bahia, em combate, na expedição de 24 contra os holandeses. Não me deixou quase nada: uma casa velha, no morro do Castelo, aquelas geringonças da sua oficina de ferreiro (que funcionava na frente, antes da sala) e Cristóvão, meu negro de ganho, que — apesar de ser vadio — me rendia alguma coisa antes da cegueira que a si mesmo impôs, naquele espetáculo hediondo da escada da matriz.

Sempre trabalhei muito e ainda trabalho, mais até que Cristóvão. Por isso, fiquei indignada quando o moleque da vizinha me veio comunicar que uns meirinhos tinham arrancado meu escravo do seu ponto de esmola, na rua Direita, sem qualquer satisfação à minha pessoa. Perambulei pelas repartições até descobrir — surpresa — que o tinham levado ao solar do baleeiro.

Cheguei lá furiosa, quase atropelei a mucama petulante que me atendeu à porta e tive o desprazer de deparar uma autêntica assembleia reunida no salão: o senhor Antunes, dois meirinhos, um tabelião (ou escrivão) e o próprio ouvidor-geral — além de Cristóvão, é claro, folgado como sempre, de cócoras no chão, com os pés descalços sobre um riquíssimo tapete.

Quis saber a razão daquele confisco e tive de ouvir — da boca do escrivão (ou tabelião) — que nenhum direito poderia obstar os procedimentos da justiça e que estavam ali dispostos a torturar meu negro para obter informações sobre a irmandade. E creio que teriam conseguido, não fosse a intervenção do baleeiro:

— Meu querido rapaz, vossemecê acha mesmo que quem se expõe tão placidamente à violência coletiva cederia a tratos tão suaves quanto os da nossa justiça? É preciso não ter visto as Índias!

Não sei por que o senhor Unhão Dinis admitia aquela ingerência numa tarefa que eu julgava fosse unicamente sua, mas percebi nele uma grande admiração pelo dono da casa. O senhor Antunes, aliás, falsamente gentil (porque era um insolente, como vim a saber), me convidou a sentar e mandou a mucama aviar umas broas de milho.

O ouro nem sempre significa bom gosto: o solar era pessimamente guarnecido. De nada adianta uma parede bem caiada se se penduram nela umas espadas curvas, cheias de desenhos complicados; também de nada serve um soberbo aparador de ébano se se põe sobre ele uma estatueta horripilante, com feições verdadeiramente demoníacas.

Mais estranho que tudo aquilo, no entanto, era o comportamento do baleeiro: andava de um lado para o outro, inquirindo Cristóvão e trocando segredos com o magistrado. Soube que suspeitavam do envolvimento do meu negro com a heresia de Judas, a irmandade e todos aqueles crimes que vinham acontecendo. Fiquei apavorada, mas fui sincera: Cristóvão era um estorvo, mal-agradecido e ladrão; que de uns tempos para cá tinha perdido o medo de chicote e da palmatória e parecia até gostar de apanhar; que fazia isso porque sabia que — morrendo ou ficando aleijado — me deixaria mais desamparada do que já me achava; e que — graças à Virgem — mesmo cego ainda conseguia remendar arreios e pedir esmolas. Mas não havia motivo para incriminá-lo (o que me levaria à ruína): qualquer escravo de qualquer casa poderia andar por aí repetindo aquelas blasfêmias sobre o fracasso de Jesus Cristo.

Minhas objeções certamente surtiram algum efeito e me levantei para ir embora, carregando o que me pertencia, mas o senhor Antunes dispensou apenas Cristóvão e os oficiais menores, insistindo que eu ficasse mais um pouco para as broas. Continuei, assim, a assistir à confabulação:

— Esse Cristóvão é um cabinda, Gonçalo. Fala uma língua que não é a do manuscrito. Não me parece um suspeito importante.

Ficaram um momento em silêncio, quebrado quando a mucama veio com as broas. Foi nesse ponto que me arrependi de ter permanecido: um escravo do baleeiro acabava de entrar no salão, sem cumprimentar nem pedir licença, e se dirigia a uma escrivaninha cheia de papéis quando, no instante em que passava pela minha frente, Eulália, a mucama — sem-vergonha como todas dessa casta —, não teve pudor de servi-lo em primeiro lugar, antes mesmo de me oferecer. Não podia frequentar uma casa em que escravos e senhores comiam da mesma travessa. E só não cheguei a protestar porque o senhor Antunes não se demorou a falar de boca cheia:

— Sabes, Gonçalo, em Goa vi cenas semelhantes à desse Cristóvão, o cabinda. Certos indianos pretendem alcançar um estado de pureza espiritual, superando a dor para atingir o bem supremo. Mas nunca pensei ver isso num africano.

— Há selvagens no mundo inteiro — me apressei em retrucar.

Mas não me deram atenção. Começaram a divagar sobre um tal de Trasímaco, filósofo da Antiguidade, que dizia ser a justiça nada mais que a vontade do mais forte. Opinei (porque não me envergonho de ser cristã) que forte era Deus e que se todos O obedecessem não haveria mal. Foi quando percebi nitidamente a risada acintosa do escravo intrometido, que logo procurou retê-la, disfarçando, enfiando a cabeça nos papéis como se soubesse ler.

Ofendida, revoltada, aguardando um desagravo que não veio, lancei ao chão os restos da broa e me ergui bruscamente:

— Quem é, afinal, esse negro?

— Ah, desculpe! — exclamou o anfitrião. — Não me lembrei de preveni-los. É Inácio, meu secretário.

5

Foi difícil explicar para as autoridades o que exatamente estava eu fazendo pela praia, ao amanhecer, quando encontrei os dois carmelitas naquele estado lastimável. Por sorte, não insistiram muito nesse ponto, imaginando que eu me envolvera em alguma aventura galante e que qualquer publicidade a esse respeito poderia comprometer meu matrimônio. Mal sabiam que minha esposa conhecia de muito a açoriana.

Pois eu tinha ido lá, na casa dessa feiticeira. Era uma mulher sibilina, perigosa, que adivinhava o futuro e preparava filtros para os males do amor, da saúde e da fortuna. Tinha a vaidade de não tocar em dinheiro e de trabalhar apenas com a boca. Era um forro — homem medonho, aleijado, que tinha só o polegar na mão direita e, segundo as más línguas, era seu amásio — quem desempenhava todo ofício manual e recebia os pagamentos.

Quando a conhecemos (porque fomos juntos, eu e minha mulher) desejávamos enriquecer e não apenas deixar de passar fome. Tínhamos uma noção muito precisa do que fosse *felicidade*, no Rio de Janeiro, para não termos ambição. Por isso, suportamos a espera no vestíbulo, abafados, amarfanhados, cercados por toda casta de gente e envolvidos por um bafio nauseabundo, até que o forro nos chamasse. A açoriana, sentada à mesa e coberta de colares e anéis de latão, tinha diante de si apenas um baralho sebento, que manipulava segundo vários métodos, naturalmente no exercício de decifrar sua mensagem.

Não demorou muito, o forro foi convocado e — mesmo com aquela mão sem dedo — riscou a giz, sobre uma tabuinha tosca, uma série de linhas curvas (como num arremedo de escrita), que depois submeteu à profetisa. Só então a açoriana fez seu vaticínio:

— Vossemecês vão encontrar ouro na casa de Deus.

A coisa toda foi estranha e não parou aí. De início, eu tinha de retornar semanalmente à casa da feiticeira, para ser ungido com uma gordura fedorenta e pastosa, ministrada pelo forro e paga por mim, até que acontecesse uma *revelação*. O tempo passou e minha mulher deixou de acreditar. Foi então que compreendi o sentido oculto daquela frase e a necessidade de eu estar sempre visitando a casa.

Foi há cerca de mês e meio. Eu tinha acabado de penetrar aquele recinto estreito a que a açoriana chamava *meu aposento*, quando o forro introduziu, furtivamente, ao que tudo indica sem passar pelo vestíbulo, um frade carmelita. A cena era insólita e não pude conter uma expressão entre o desprezo e o espanto. A bruxa tratou de se explicar:

— Vossemecê nos desculpe. Espere mais um pouco na salinha. Nosso irmão tem pressa e não pode ser visto.

O carmelita chegou perto de mim, com aquele olhar de mendigo que eles todos têm, e quase me beijou os lábios para me pedir discrição, enquanto abria suavemente meus dedos e punha em minha palma duas patacas.

Para mim, era uma fortuna (mais de meia arroba de açúcar mascavo!); e voltei à sala. E na sessão seguinte deparei outra vez com o frade. Vinha agora meio embuçado, sem hábito, acompanhado de quem supus ser outro carmelita; me reconheceu, mas não falou comigo. Notei que tentava desviar o olhar e que meu silêncio devia valer bem mais que duas patacas.

Quando os encontrei novamente já estavam aguardando a vez, na salinha. Planejei abordá-los na rua, quando fossem embora. A predição da açoriana me deu confiança e só me demorei uns cinco minutos (para não chamar a atenção dos outros) antes de dar uma desculpa qualquer e sair no encalço dos pecadores.

Mas não tive sorte. Imaginei que, para alcançar o convento mais brevemente, os frades tomariam a direção do açougue. E eu entrava pela viela mais óbvia quando vi (e meu depoimento começa desse ponto) o perfil de um homem agachado, de costas, meio escondido pela curva e por uma touceira de capim, vasculhando num mato que só podia ter urtiga e tiririca. Por estar descalço, logo deduzi ser um escravo, talvez fugido. A possibilidade de uma recompensa me deixou só a dois passos do homem. Foi quando vislumbrei, no chão, à direita, uma faca de ponta. No mesmo instante, percebendo minha proximidade, pôs-se de pé rodopiando e brandiu a arma com extrema rapidez, enquanto levava a outra mão às costas, creio que tentando ocultar as ervas que havia colhido, como se arrancar mato fosse crime.

Evidentemente, fugi apavorado, no sentido oposto, procurando me esconder. Só meia hora mais tarde recobrei coragem para perseguir os carmelitas; e, mesmo assim, por um caminho obtuso, contornando o morro do Castelo, em direção às Portas da Cidade.

Já desistia quando, vindo do convento, topei o sacrilégio. Tive de dar o alarme. Era uma questão de consciência. Não poderia deixar os pobrezinhos naquele estado. Talvez seja outra a casa de Deus a que a açoriana se refira.

6

O problema que o ouvidor-geral e meu marido se propunha resolver não era, de forma alguma, fácil. Não me refiro às investigações que realizava na companhia do seu novo amigo Mendo Antunes. Falo da redação do tratado *Da ideia de justiça*. Desde que começou sua carreira de juiz, preocupou-o a relação entre o conceito de justiça e a ideia de bem. O magistrado Unhão Dinis gostava das coisas boas e justas; o que muito me honrava, em todos os sentidos.

Partia (e confesso que inspirado em Isidoro de Sevilha) de dois pressupostos fundamentais: que todo ser humano tem noção instintiva do que seja justo ou injusto; e que todo ato injusto decorre de uma injustiça anterior. O texto evoluía para a conclusão de que o mal, a dor, a injustiça eram desnecessários para a inteligência do universo — o que se alegorizava na imagem do Juízo Final.

Passávamos horas, eu e ele, discutindo os sábios, de Platão a Santo Tomás, buscando definições precisas para aqueles conceitos tão voláteis de bem, justiça e verdade.

Não que me enfarasse a vida social. Até tínhamos nossos passeios: cerimônias públicas, visitas ao prelado, uma que outra viagem à Bahia. Mas a mim me bastavam os livros e Gonçalo. A gente em geral é pouco instruída, mormente numa cidade como esta; e quem sabe fabular não necessita de mais nada (ou mais alguém) que já não tenha em casa.

Mas havíamos de receber o armador, naquela tarde. Era um homem com quem não se podia ir à missa. Gonçalo teve por ele uma forte, repentina e espontânea amizade e eu estava ansiosa para vê-lo bem instalado entre meus coxins. O que nos atraiu em Mendo foi precisamente a riqueza de sua experiência entre povos exóticos, por vezes tremendamente bárbaros. As histórias de Goa, por exemplo, nos eram particularmente instigantes e deram a Gonçalo ocasião de rever algumas ideias do tratado. Quanto a mim, no que me tange, tive uma outra espécie de deleite em me imaginar lambida na fogueira da viúva.

É claro que certas sutilezas filosóficas não eram compreendidas pelo nosso amigo. Mendo era inteligente, mas não era culto. E eu notara que todo seu interesse estava voltado para aquele assunto da irmandade — que se transformara, não obstante sua premência, num excelente e aprazível exercício intelectual. Eu tinha teses sobre o assunto; mas não podia supor que iria começar, por isso mesmo, naquela tarde, um acirrado embate com o armador.

Tinham acabado de chegar da ouvidoria, vindos do trapiche, onde houve o incêndio, e discutiam pormenores do caso. Concluí que não teria sido difícil a um grupo de sabotadores aproximar-se do prédio, à noite, submeter os vigias, roubar alguma coisa, atear fogo e fugir. Mendo achava essa hipótese precipitada; e apresentava um problema: o corpo de um único soldado fora encontrado esturricado dentro do trapiche — e não na rua, onde por dever de ofício presumir-se-ia que estivesse; enquanto o outro jazia amarrado, apenas levemente ferido no rosto e sem mordaças, e tão próximo ao portão que não se compreende por que se perdeu a oportunidade de queimá-lo.

E mais: o finado tombara perto do respectivo portão, a distância bastante para ver o companheiro e os assaltantes que o dominavam, enquanto o sabre — que deveria empunhar inclusive em defesa própria — se achava intacto na bainha.

— Podes ter certeza de que este vigia não montava guarda.

— É uma suspeita sem fundamento — meu marido objetou.

— Quanto é o soldo de um vigia das ordenanças, Gonçalo?

O magistrado Unhão Dinis detestava esse tipo de argumento (principalmente quando exposto diante do oficial que os acompanhava), mas não soube refutá-lo. Além disso, Mendo não admitia a tortura dos suspeitos, o que nos privava de alguns dados importantes. Lembrei isso a ele, mas não fez caso.

— Precisamos demonstrar duas coisas distintas: que os cinco atentados têm relação entre si; e que há conexão real entre esses mesmos atentados e a propagação da heresia. Pessoalmente, não vejo sequer relação entre os hereges e a irmandade, como quer o prelado. O manuscrito não autoriza qualquer conclusão neste sentido.

Nesse momento, Inácio — o singular escravo secretário de Mendo — veio chamá-lo. Era um problema com alguma nau. Mendo Antunes nos deixou por um instante e foi recebê-lo pessoalmente, na cozinha.

A presença desse escravo no solar era nossa maior dissensão com o armador: ele era, para mim, um suspeito mais que óbvio. Nosso amigo corria risco de vida — afinal, não se vendem por aí muitos escravos que saibam escrever. Mas tive de tolerar as refutações de Mendo (sempre inclinado numa outra direção), que desmontavam minha teoria. Uma: Inácio era um crioulo e não conhecia (o armador tinha certeza) qualquer língua de Angola. Duas: Inácio tinha sido educado por um padre, era cristão e não frequentava batuques como os outros escravos. Três: os garranchos do manuscrito (bastava conferir) não correspondiam à boa letra de Inácio. E quatro: Inácio não tinha motivo, porque vivia bem, porque não poria a perder uma condição inacessível à maioria dos cativos, porque jamais praticara qualquer ação que o desabonasse (assim dissera o padre que o educara) e — principalmente — porque era *amigo* do armador.

Há ocasiões em que o sentimento colide com a razão. Era o caso; mas me abstive de discutir.

Quando Mendo retornou, manteve um ar preocupado enquanto dava ordens em voz baixa a Inácio, que vinha entrando pela casa, acompanhando o senhor como se fosse uma pessoa. O secretário finalmente saiu e o armador caminhou para nós, sorrindo novamente, simulando uma pressa exagerada, para bater com a ponta da bota nas canelas de Gonçalo:

— Vamos à Casa da Câmara. Ainda não discutimos o incidente da Cadeia Pública.

7

Em 1621, Mendo Antunes já havia perdido a conta de quantas vezes atravessara a maranha de caminhos estreitos e íngremes que conduziam ao terreiro central do paço. Mesmo assim, continuava a precisar de um guia. Não que tivesse receio das sentinelas ou da escuridão. É que ainda não compreendera o labirinto. Nem a mulher que o esperava. Serena, sempre inacessível, Jinga sorriu:

— Então, macaco, vem comer comigo?

O assunto da entrevista não era muito agradável. A rainha pretendia endurecer as escaramuças com o Jaga Cassanje e decidira fechar os mercados de escravos — todos que pudesse, de Matamba ao alto Cuanza. Mendo deveria resgatar peças apenas nas feiras do Libolo. Efetivamente, era um mau negócio. Mas o comerciante tinha também seus artifícios; e não se ia indispor com Sua Majestade nem prescindir de saborear o funje fumegante e apimentado que lhe era servido, em suma deferência, por uma virgem da corte.

Além das aias que jamais deixavam de cercar a soberana, havia mais dois convivas: Quituxe, o muene lumbo de Jinga (espécie de curador-mor do paço), amante da rainha segundo os fuxiqueiros; e um tal de Calunda (que Mendo não conhecia), comandante de um dos seus exércitos, destacado para os combates no Cassanje.

A expansividade de Calunda contrastava com um certo rancor que afluía ao rosto de Quituxe. Mendo Antunes chegou a suspeitar de um triângulo amoroso, mas logo se dissuadiu. Jinga acabava de indicar uma das aias a Calunda. Triste, chorando mansamente, a moça pediu à rainha apenas um último afago. Sabia que — perdendo a virgindade — deixaria de integrar o séquito das favoritas. Jinga foi terna, carinhosa, e deu a ela uma cuia de quitoto:

— Beba antes, sozinha. Descontrai e evita a dor.

Após a retirada de Calunda, Mendo, Quituxe e a rainha continuaram reunidos. Falavam da guerra com os jagas e dos planos de Jinga para enfraquecer o irmão, Ngola Mbande. Mendo Antunes conhecia esse enredo: quando Ngola Quiluanje — pai de Jinga — morreu, Mbande intentou eliminar possíveis pretendentes à sucessão do reino, conseguindo matar um irmão mais novo e o sobrinho, filho de Jinga, ainda crianças. Jinga estava ausente quando seu acampamento foi invadido pelos guerreiros de Mbande. O menino foi trucidado ali mesmo, pelo chefe da expedição.

A história era sórdida em si mesma; mas Mendo Antunes não pôde conter uma expressão de asco quando soube que o assassino do filho de Jinga — precisamente o mesmo homem que conduzira os guerreiros de Mbande — estava ali naquele instante, gozando da beleza de uma das aias da rainha.

— Calunda — Jinga explicava — terá seu dia. Hoje, ainda é útil.

— Mas, Majestade, não fizeste nada?!

— Tomei uns objetos do menino, embrulhei tudo num pano e despachei numa encruzilhada dos caminhos. No dia seguinte, não estavam lá. Quem apanhou que irá sofrer. Não eu.

A frieza e o absurdo da resposta caíram com tal impacto sobre o ímpeto de Mendo, que não soube o que dizer. E Jinga prosseguiu:

— Veja esta pedra e tente destruí-la. Talvez alguém consiga transformá-la em pó. Mas esse pó ainda continuará enchendo a minha mão. O mal é como a pedra ou qualquer outra coisa: não se perde; não se cria. Apenas muda de lugar. Pense um pouco sobre isso.

— Desculpe, Majestade; mas não vejo relação entre a impunidade de um criminoso e uma pedra que vira pó.

— Vossemecê não chega a ser estúpido. Mas tem mesmo uma cabeça de macaco.

De repente, um alvoroço interrompeu a palestra. Mas o semblante de Jinga não se alterou. Parecia já saber do que se tratava. Pouco depois, traziam o corpo violado da aia, hirto, com a língua roxa e as pernas inchadas, como duas toras.

Em meio à confusão, Calunda tentava se eximir de qualquer culpa, mas Jinga lhe virou as costas, num desprezo franco. Deu mais algumas ordens e, antes de se retirar, se despediu de Mendo Antunes:

— Não basta matar. É preciso provocar dor.

8

Estou disposta a perder completamente o pudor para que os homens da justiça conheçam como, por que e por quem meu marido morreu. Minha honra já não vale nada. E estes confins já não me vão ver por muito tempo.

O alcaide era um torpe e morreu como um torpe. Ainda me é nítida a imagem do seu corpo sobre o catre: hirto, com a língua roxa e as pernas inchadas como duas toras. Digo *catre* e não estou mentindo: o alcaide não dormia sob os meus dosséis.

Naquela noite, eu sofria uma enxaqueca. Padeço desse mal desde que estou no Rio de Janeiro. Essa combinação de calor e sujeira produz por vezes um odor tão fétido que não há índio, negro ou judeu que o não sinta. Quando vem a brisa, então, parece que se levantam todos os miasmas sulfurosos do inferno e tornam a vida nessa terra insuportável.

Mas eu sofria uma enxaqueca. Talvez porque tivesse passado, de manhã, perto da praia. Pois eu ia passando quando bateu o vento. E com o vento veio um fedor tão terrível que quase me despenco de minhas próprias ancas. Não me surpreendi ao saber a razão: uma baleia imensa era estripada, na barra, enquanto a pestilência manava das carnes que se estragavam sob o sol. Sobrecarregar o ar pesado da cidade, de si já repleto de perfumes deletérios, com o cheiro odioso daquela podridão é um crime nefando, irreparável, que devia ser punido com a morte.

Mas eu vim para casa, atordoada e com náuseas, para que em seguida a enxaqueca me atacasse. Passei o dia mal, vomitei depois do almoço e dispensei o jantar para tentar dormir. Sabia que o alcaide não chegaria cedo, mais uma vez. E não porque estivesse no encalço da súcia de malfeitores que andam à noite pelos becos assolando os incautos. A ronda da polícia é uma ficção em que só as autoridades acreditam — o que não inclui o alcaide.

Pois ele estava, certamente, metido com sua canalha na bodega do Peixoto. É um antro de vícios e de mulheres airadas. O alcaide — diga-se a verdade — nunca me faltou; mas não escondia de ninguém, nem das próprias filhas, que necessitava aliviar aquele ímpeto de mouro pela rua.

Dores como as minhas não permitem um sono muito profundo; e, a certa altura, julguei ouvir ratos operando na cozinha. Tentei não prestar atenção, mas não consegui. Além do mais, o ruído era estranho e me intranquilizava. Acabei levantando e indo ver aquilo de perto, sorrateiramente.

Na cozinha propriamente não havia nada. As ratazanas ciciavam era na despensa, no lado de fora. Compreendi tudo num instante: o motivo da minha confusão, a natureza do barulho e o tamanho dos animais que faziam a festa.

Mas não recuei. Estava indignada, humilhada, furiosa. Aquele era um momento ímpar. O mundo que eu poderia descobrir ali, naquele quarto, me seduziu, me transtornou.

Não sei onde arranjei calma para — numa concisão de movimentos de que jamais fui capaz — libertar a porta dos ferrolhos, sem qualquer rangido, e chegar ao quintal. Então, por uma fresta da janela, vi.

Uma mulher vigorosa, de coxas robustas e amplas espáduas, coleava sobre o alcaide, no catre fatal. Meu ângulo de observação só me descortinou a metade inferior dos corpos e por isso não pude vislumbrar o rosto da fêmea; mas não me pareceu ser uma das nossas cativas. Aliás, não perdi meu tempo refletindo sobre isto; eu estava mesmo era interessada no que acontecia abaixo das cinturas.

As mãos do alcaide — sempre hábeis — ora deslizavam pelas pernas da mulher, ora alcançavam pontos mais acima, que eu não podia enxergar, e calcavam seus músculos rijos, friccionavam sua pele acetinada, até que, num dado momento, tomaram suas nádegas, firmemente, para atraí-las contra si, com a violência terna que lhe era típica. Mas ela se esquivou, queixosa:

— Aí não; dói ainda!

— Se te ficar cicatriz, mando matá-lo!

— Então afie os sabres, porque vai ficar.

Este incidente deve tê-los arrefecido; e daí encetaram um diálogo sussurrado que me interessava muito pouco. Voltei à cozinha, sempre em silêncio, e quis tomar um gole do vinho que o alcaide mantinha sistematicamente sobre a mesa. Mas não o encontrei, tão excitada me encontrava.

De novo, então, sob meus lençóis, já sem qualquer vestígio da dor de cabeça, aguardei meu marido. Sabia que era amada, pois sempre fora eu a última das suas noites.

Mas o alcaide não veio. Fui eu mesma quem o deparou naquele estado, na madrugada do dia seguinte. Era um homem torpe. Não seria justo que tivesse outro fim.

9

Mesmo que eu coma e vista relativamente bem, mesmo que o trabalho na bodega não seja dos piores, mesmo que não me castiguem, mesmo que não me estuprem, considero nossa ação estritamente necessária. É evidente que não penso só em mim. Como Ana gosta de dizer na língua dela: *difu dioso disangela ndomba ia muxi*. Cada uma folha está na sombra da árvore. Só lamento que mais um fracasso da irmandade tenha acontecido; e justamente numa ação minha. Mas não creio, como Ana, haver entre nós um traidor.

Naquela noite, eu daria fuga aos presos, depois de envenenar o carcereiro. O homem estava apaixonado, desde que deitou comigo pela primeira vez, na cadeia. Mas não me envergonho — foi para o bem comum.

O carcereiro era uma pessoa esquisita, violenta. Quando desconfiou — ou melhor, soube — dos meus namoros com o alcaide, me atacou covardemente com uma faca enferrujada. E eu estava deitada, de bruços; ainda me esquivei, mas o golpe me feriu na bunda — o que talvez me deixe uma cicatriz eterna. O carcereiro acreditava no meu amor. Não posso me furtar a um sentimento de comiseração.

Pois bem. Naquela noite, o carcereiro faria como de costume: deixaria destrancado o postigo do corredor, que ficava em frente à cozinha, do lado esquerdo do depósito onde se armazenavam a munição e demais armamentos e que também nos servia de alcouce. Sabino — escravo do ouvidor-geral, sujeito extremamente hábil e inteligente — me daria cobertura, cercando a cadeia com mais dois irmãos. A fuga tinha de ser bem-sucedida, disso dependia o nosso futuro. Não era somente uma demonstração de força, mas uma oportunidade de aliciar novos irmãos entre os detentos.

Meu risco era grande. O carcereiro, para segurança dos seus próprios amores clandestinos, costumava reunir a guarda, a pretexto da revista dos cárceres e do estabelecimento da ronda das sentinelas. Era o momento em que eu entrava e me escondia no depósito — de que só ele possuía a chave e que era deixado previamente aberto. Depois disso, os soldados ocupavam seus postos, na rua, ficando apenas um na ala dos presos, local de onde era impossível observar qualquer movimento no corredor.

Como disse, meu risco era grande, porque tinha de agir antes que o carcereiro chegasse, indo primeiro até a cozinha para envenenar a cachaça que ele sempre bebia enquanto estava comigo — método que já tinha dado certo e me parecia o mais seguro.

E fui rápida, efetivamente. Pulei a janela na hora exata e entrei de imediato na cozinha. Estava com sorte: a garrafa de barro era bem visível num canto da mesa. Saquei a rolha, derramei o veneno, tive o cuidado de atar de novo o saquinho vazio na barra da saia e recoloquei a garrafa no mesmo lugar. Não fiz barulho. E tenho certeza de que ninguém passou pelo corredor. Depois, fechei a tranca do postigo (como o carcereiro exigia) e fui aguardá-lo no depósito, já deitada e meio nua, para embriagá-lo sem mais delongas.

Creio que os problemas começaram a surgir a partir desse ponto. O carcereiro não tardou a vir com más notícias:

— Não tive condição de te prevenir. Mas... não vai chegar a nos atrapalhar... bem... é que eu ainda não te falei sobre o índio, meu parente...

Soube, então, das trapaças do meu amante: o carcereiro se metera com esse índio — um aguadeiro horroroso que vivia bêbedo — na empresa de fazer embarcar açúcar clandestinamente, para desonerar as sacas dos direitos da alfândega.

O encontro daquela noite era para acertar detalhes urgentes. O carcereiro exultava: que ficaria rico; que faria ao Peixoto uma oferta irrecusável por mim; e que iríamos para Portugal.

Fiquei tensa quando soube que o índio teria acesso à cadeia empregando o mesmo ardil que eu (o que poderia confundir meus irmãos); e mais tensa ainda quando ouvi — ou melhor — ouvimos o ruído de qualquer coisa batendo, no corredor.

Os fatos estranhos começam aí: o carcereiro — que desembestara depósito afora — afirmou que o postigo do corredor estava aberto, escancarado. Eu jurava (e juro) que passara o ferrolho com todo cuidado, como sempre fazia. Quem, portanto, poderia ter destravado o postigo? E por quê?

Foi quando aconteceu o pior: o homem saiu à rua, imaginando que o barulho pudesse ter sido um sinal do índio, que não teria conseguido entrar. Não viu o cúmplice; mas acabou deparando com Sabino. Meu irmão deve ter agido com bastante eficiência, pois o carcereiro não desconfiou de nada — ao menos aparentemente.

Quando voltou, arfante, atribuiu tudo ao meu desleixo e à sua própria ansiedade. E foi entregar ao soldado as moringas noturnas dos presos. Instantes depois vi o índio saltar o postigo e se enfiar na cozinha, onde esperou o carcereiro, folgadamente, recostado nuns fardos de feijão e entornando — para meu desespero — a garrafa de cachaça.

Só me restava aguardar o efeito, que veio rápido. O bandido sofreu, mas não por muito tempo. E meu plano se esvaiu naquela sangria forte e malcheirosa. O carcereiro teve de se comprometer e solicitar o auxílio de um soldado. Combinaram dizer que o índio fora preso de madrugada, em atitude suspeita próxima à cadeia.

De mais não soube porque tive que fugir para evitar problemas ainda maiores. Mas parece que a história convenceu, pois (como ouvi dizer) os outros detentos também passaram mal naquela noite — todos com diarreia.

Não sei o que houve. Não posso ser responsabilizada.

Não tinha por que supor que o responsável pela cadeia servisse cachaça aos prisioneiros.

10

Não que me arrependa dos crimes que cometi. Mas nunca derramei sangue. E — fique claro — não me tornei um traidor: a irmandade é que se tornará desnecessária, naturalmente.

Fui dos primeiros irmãos. No início, éramos apenas três, dando fuga a escravos e roubando viandantes nas estradas. Muitos dos que estão nos quilombos foram libertos por nós. Muitas das cartas de alforria adquiridas pelos padres foram pagas com o nosso dinheiro. Mas era uma subversão atormentada, sem plano. Pode-se mesmo dizer que não tínhamos um objetivo. Até o aparecimento de Ana.

Foi ela quem deu sentido a nossa causa. E nos fez compreender a natureza do mal. Não é exagero afirmar que a irmandade propriamente dita surgiu com ela, dela e por ela.

Pois eu decidi amar essa mulher. Como ninguém, compreendi os fundamentos da sua crueldade. "Não basta matar; é preciso provocar dor", Ana dizia, ou melhor, ensinava. Eu me opunha a tudo aquilo, mas estava isolado. E a irmandade cresceu, ficou poderosa. Talvez se tivesse tornado invencível. Mas eu não me modifiquei.

E bem lembro o dia em que resolvi reagir. Nessa época, ainda mantínhamos a estratégia de surpreender os incautos e lhes impor a morte. Eu tinha sido coagido a ficar de tocaia, na companhia daquele guiné aleijado (de quem não gosto), por determinação de Ana. Ele sabia da minha fraqueza e só me pediu, com aquele jeito soberbo, que lhe desse cobertura. Não tinha faca, mas uma espécie de lança curta, de ponta rombuda e lâmina irregular, que feria mais que matava.

Foi quando o homem veio. Sozinho. O assalto foi rápido. Nem houve tempo para gritaria. Atei um arreio à boca da vítima e o aleijado a foi despedaçando, aos poucos. Quando voltei a casa, missão cumprida, chorei. Não pude conter a efusão dos sentimentos que me torturavam e que eu até então não pudera discernir. O fato é que aquelas dores me atingiam, também.

Mas as coisas se precipitaram. Ana resolvera suspender as ações da irmandade. Não éramos sequer notados. Nossas mortes eram confundidas com simples latrocínios. Não causávamos comoção.

Enquanto a irmandade se reestruturava, eu refletia. E compreendi, com base no seu próprio pensamento, que Ana não chegaria a lugar algum daquela forma; compreendi a verdadeira lição que se ocultava na história de Judas e Cristo. Se alguém quisesse remir a humanidade pela dor, não poderia ter permitido que esta fosse compartilhada por um outro homem. Judas sentiu em relação a Cristo o mesmo que eu, quando ajudei a trucidar aquele miserável.

Mas eu amava Ana, como ainda amo. É uma mulher esplêndida. Perfeita. E como merecesse tudo, quis que alcançasse o bem. Foi quando comecei a difundir a verdade que logo ficou conhecida como a *heresia de Judas*. Essa verdade que passou a ser o assunto das senzalas. Porque basta um sofredor para que o bem geral se faça. Serei eu esse sofredor. Pelo amor de Ana. Ainda que ela me persiga, me expondo a prazeres que não quero suportar.

Foi por isso, para não vê-la, para não contemplá-la, que me privei dos olhos. Por isso, por ela, tenho procurado passar pelos maiores horrores. O chicote, o fogo, a fome, a solidão. Mas não supunha que Ana tivesse designado alguém para me coibir.

Aconteceu quando pedia esmolas, na matriz. Iniciava o flagelo, queimando a sola dos meus próprios pés com um pequeno tição de fogareiro. A multidão dos tolos já me cercava, rindo, debochando. Quando subitamente alguém me arrebatou o ferro e gritou: "Rápido! Manteiga!"

Não sei se foi em função da dor, mas não reconheci o irmão que me acudia. Tentei me desvencilhar da sua piedade, mas ele foi mais forte:

— Nunca mais faça isso! Eu já tenho a solução — me disse.

Mas a solução da irmandade não me interessava. Não me lembro se cheguei a argumentar com ele. Sei que em seguida trouxeram a manteiga e eu tive que suportar o tratamento. Creio ter perdido a noção das coisas, porque — quando dei por mim — já quase não distinguia o burburinho dos urubus que se dispersavam. O enviado de Ana também não estava mais ali. Não tive tempo de lhe mandar dizer que não posso recuar. Quem ama não tem alternativa.

11

Sempre desconfiei de Fininha. Sempre desconfiei daquele sorriso falso. Mas não me deram ouvidos quando disse que nem mesmo as mucamas devem ser tratadas com tolerância. Num mundo como o nosso, ninguém é passivo; ninguém é submisso; ninguém é leal. Nem eu.

Quando o patrão Antônio Carvalho adquiriu essa cativa, eu já era agregado do engenho. Desde essa época, me lembro, que não vou com suas fuças. Desde essa época, intuí o que sucederia. Não é por ter sido criado no meio dos padres que não conheço as mulheres; e não é por ser filho de índia que não sei pensar: o senhor comprava a própria ruína.

Embora não tivesse provas, jamais deixei de suspeitar que fora ela a responsável pela morte da filha da senhora. Também acho que foi ela quem andou acusando o patrão de ser judeu. Era uma mulher estranha, incoerente: vivia rindo; mas nunca se soube que houvesse aceito homem.

No dia da invasão, eu tinha notado um certo nervosismo em Fininha, desde a manhã, quando nos trouxe o desjejum. Derramou leite na toalha; deixou o pão queimar; e não sorriu. É preciso encarar as coisas com frieza: se aquele sorriso que ela estampava como um emblema sempre fora uma mentira, a ausência do sorriso significava que nada havia mais por que mentir.

Mas esse pensamento só me veio mais tarde. Concluí — na minha estultícia — que Fininha tinha furtado alguma coisa à patroa. E quis prejudicá-la: nada é mais humano que o despeito.

Passei o dia controlando os movimentos de Fininha, à espera de uma oportunidade para revirar suas coisas e encontrar o produto do roubo. Fininha gozava do inexplicável privilégio de não dormir na senzala. Seu cômodo era o cubículo que ficava debaixo da escada, no corredor entre a sala e a cozinha. Assim, me era difícil largar o trabalho e arranjar uma desculpa para entrar na casa-grande. Mas consegui.

Foi à tarde. Eu vinha das bandas da pocilga, justamente para observá-la, quando topei com ela, indo no sentido oposto, com uma trouxa de roupa branca. Assim que me viu, ficou tensa, desconcertada. Eu nem dei atenção: rugi um palavrão e sacudi o açoite. Queria mesmo que ela se afastasse.

Mal pus os pés na cozinha, deparei a patroa; e pretextei alguma coisa, se a dona se queixava de algum sumiço em seus haveres, que ouvira uns comentários na escravaria, e mentiras desse nível. A mulher era implacável e me olhou de cima a baixo, num silêncio humilhante.

Saí maldizendo todo o mundo. Por minha sorte, fiquei de mau humor. E quando Fininha veio ao rancho trazer o jantar, recusei a aguardente que me ofereceu. Ela continuava daquele jeito estranho, ainda nervosa, mas sorrindo de uma maneira forçada, tolerante até com as brincadeiras obscenas, como quem quer agradar a todo custo.

Era uma daquelas noites de sexta-feira em que a esquisitice da senhora proibia os batuques. Eu mesmo fui trancar os cativos na senzala. Fiz a inspeção de rotina, acorrentei os perigosos, testei o cadeado externo e fui dormir.

Nem bem cheguei a pegar fundo no sono quando o primeiro companheiro acordou. Era o índio novo, de pé, com as mãos na barriga, tentando gritar sem conseguir. Não demorou a tombar, sem sentidos. Foi quando notei que evacuava sangue. Corri para acender a candeia e chamar o feitor. Mas a cena que me esperava não diferiu muita coisa: ele jazia, todo borrado, de olhos abertos, suando frio, com uma expressão de dor que eu jamais tinha visto. Bastou mais um gemido para que eu inferisse a dimensão exata da tragédia: os agregados morriam e eu fora o único a não beber. Fininha certamente planejara alguma coisa, que não previa minha sobrevivência. Só tive tempo de apanhar um arcabuz.

Quando saí, tencionando alcançar a casa-grande, identifiquei luzes na senzala. Era noite sem lua, mas pude distinguir umas três ou quatro pessoas, muito agitadas, forçando o cadeado. Devo confessar que tive medo e me arrastei para trás do monjolo até saber exatamente o que se passava. Logo depois senti que caminhavam na direção do rancho. "Cuidado com o caboclo", ouvi Fininha dizer.

Ao ruído da porta que se escancarava seguiu-se uma espécie de tumulto.

— Mas já estão todos mortos! — gritou um dos bandidos.

— Tudo errado outra vez — disse um outro, no tom característico de quem se decepciona com alguma coisa.

Evidentemente não compreendi o diálogo. Já estava esperando o pior e não tinha calma para refletir. De repente, um outro grito:

— Não há ninguém na casa-grande!

— Fugiram! O caboclo deve ter adivinhado! Vamos embora, rápido!

Não é possível descrever o alívio que senti. Mas mesmo assim, devo ter ficado naquela posição por várias horas, até ter certeza de que não havia mais nenhum canalha à espreita. Quando levantei, constatei o que já imaginara: não restava um único escravo na senzala e meus companheiros eram apenas corpos dissolvidos em sangue e excrementos.

Foi só pela manhã que descobri os patrões. Estavam amarrados, amordaçados, lançados à pocilga, fedendo mais que os próprios porcos. Não me deram explicações. Não quiseram relatar nada. O senhor Antônio — homem — chorava.

Cheguei a sentir carinho quando os reconduzi à casa--grande. A patroa, então, com algumas escoriações e quase nua, me dirigiu um olhar humilhado, de quem tinha modificado sua noção do mundo. Quando me despedi, até passei a mão pelo seu rosto.

12

Em 1622, às vésperas de partir para o Brasil, Mendo Antunes era apenas um dos que ansiosamente aguardavam a chegada de Jinga a Luanda, na qualidade de embaixatriz de Ngola Mbande, rei do Ndongo, seu irmão.

Teria oferecido a própria residência para a estada da rainha, mas não quis que suspeitassem da sua intimidade com ela, nem diminuir o brilho da recepção. Limitou-se, assim, a instruir pessoalmente Rodrigo de Araújo (que prestaria o serviço a custo da fazenda régia) sobre certos hábitos de Jinga e de seus dignitários. E quando os primeiros tiros de mosquete anunciaram a aproximação do séquito real, assumiu singelamente uma posição secundária, atrás dos padres, militares e principais do governo filipino.

Jinga estava esplêndida em sua liteira. Ainda que visivelmente perturbada pela pompa ibérica, não perdera a soberba. E também fez impressão: ninguém imaginara tamanha majestade em quem reinasse com os pés descalços.

O cortejo vinha a passo lento, calmamente, dando tempo a que a rainha sorrisse, observasse, conhecesse e admirasse. Mendo não resistiu quando ela volveu os olhos para sua direção; e deu um passo à frente. Jinga se expandiu pela primeira vez:

— *Hima! Enda kwami!* ("Vem comigo, macaco!")

Mendo — é óbvio — não pôde obedecer. Ruborizado, vexado, sem ter onde enfiar o queixo, mal conseguiu subtrair-se aos olhares curiosos que o fixavam. E não teve como recusar: no dia da audiência de Jinga com o governador João Correa de Souza, Mendo Antunes teve de desempenhar uma função diplomática, com missão de interceder nos impasses e facilitar as negociações.

O governador já estava postado em seu assento quando Jinga entrou na sala. Mendo Antunes acompanhou as pupilas da rainha percorrerem a assembleia, inspecionar as instalações, avaliar o ânimo de João Correa, até notar — finalmente — algumas almofadas dispostas ao rés do chão diante do governador.

Mendo Antunes já havia intuído que Jinga Mbande, soberana de Matamba, jamais se colocaria naquele nível humilhante; mas não podia advertir que, com um simples movimento de cabeça, fizesse uma das aias avançar um passo e se pôr de quatro sobre as almofadas.

Padres, militares e funcionários foram constrangidos a assistir, calados, àquela cena iníqua: Jinga sentada sobre as costas de sua serva, sorrindo, ponderando e envolvendo, num português fluente, o desconcertado João Correa de Souza.

Finda a audiência, Jinga já transpunha os umbrais quando alguém alertou que a escrava se mantinha imóvel, na mesma posição infame.

— Não me sirvo duas vezes de um mesmo assento — respondeu.

Foi a penúltima vez que Mendo Antunes viu a rainha.

Na derradeira, semanas após, véspera do seu embarque para o Rio de Janeiro, testemunhou o bispo de Luanda, ao lado do governador e de sua esposa, bendizer a água da pia, vertê-la sobre a fronte de Jinga e pronunciar solenemente:

— Eu vos batizo Ana de Souza!

13

Não saberia determinar o momento em que o ouvidor-geral começou a desconfiar de Mendo Antunes, meu senhor e meu amigo. Não foram poucas as vezes em que ambos se encontraram, desde que Unhão Dinis visitou o solar pela primeira vez. Nunca vi o patrão tão empenhado num problema; nunca vi duas pessoas, tão importantes e tão ocupadas, praticamente abandonarem os afazeres da rotina pelo prazer de desvendar questões de morte.

Desde o início achei estranha (senão suspeita) a tolerância com que o ouvidor-geral admitia a participação do armador nas investigações. Mendo Antunes ouvia testemunhas, conduzia perícias, opinava sobre procedimentos processuais; enfim, se transformara na própria autoridade. E Unhão Dinis, em sua complacência, parecia um incapaz, um inepto, um tolo que necessitasse do auxílio de leigos para exercer uma comissão que lhe custara anos de preparo. Mas só pensei assim até o dia da esparsa.

Era um dia como outros e os homens estavam no solar, discutindo as circunstâncias extravagantes dos atentados mais recentes da irmandade. Eu ouvia com natural interesse. Meu senhor, entusiasmado, avançava algumas conclusões, quando o ouvidor-geral — completamente alheio — começou a recitar:

> *Não vejo o rosto a ninguém;*
> *cuidais que são e não são;*
> *sombras que não vão nem vêm*
> *parecem que avante vão.*
> *Entre o doente e o são*
> *mente cada hora a espia:*
> *no meio do claro dia*
> *andais entre Lobo e Cão.*

E só não chegou a emendar outra porque o senhor pigarreou. Pego assim de surpresa naquele devaneio, Unhão Dinis se concertou nas almofadas e pediu desculpas. O patrão assentiu com um resmungo que traía certo aborrecimento.

Após alguns instantes de sensível mal-estar, o ouvidor-geral se explicou:

— Caro Mendo... é que esses atentados se encaixam perfeitamente no espírito da esparsa. Há mesmo neles uma contradição intrínseca, difícil de compreender: agredir frades mas não roubá-los; matar agregados e poupar senhores; libertar cativos num dia e tentar matar detentos no outro... Não lhe parece, de fato, haver como que duas forças, opostas por natureza, mas agindo sobre um único objeto?

Mendo Antunes manteve uma expressão grave. E simplesmente não respondeu. Apesar de bem conhecê--lo, não saberia dizer se estava ainda ressentido ou se a hipótese de Gonçalo tocara alguma coisa no seu íntimo. O ouvidor continuou:

— E, acima de tudo, há a contradição maior, a estranheza inconcebível daquele manuscrito, tosco demais para quem tenha letras, rebuscado demais para quem vem de África.

Nesse momento, praticamente senti meu coração parar. Imaginei concretizar-se o que mais temia: ter meu nome associado ao manuscrito e ser inelutavelmente condenado a uma punição tão dura quanto injusta. Mas Unhão Dinis sequer tirou os olhos de Mendo Antunes.

Não posso também descrever o olhar que Mendo Antunes dirigiu a Unhão Dinis: não era uma afronta; nem uma súplica. Foi quando raciocinei; e passei a recear pelo patrão.

Porque a grande incoerência daquilo tudo estava no fato de eu — Inácio — não ter sido ainda molestado pela justiça do rei; nem ter notado qualquer suspeita em Mendo

Antunes: uma pergunta equívoca, uma espia noturna, um olhar enviesado que fosse.

E logo eu — Inácio — o escravo-escriba; o escravo amigo do seu bom senhor que o comprou ao padre sírio, que sabia da educação que esse padre lhe dispensara e que o escolheu entre tantos precisamente por isso.

Era eu — Inácio — o suspeito mais natural e mais evidente. Tão evidente e tão natural, que nem o acaso, nem o descuido, nem o excesso de confiança justificavam aquela passividade que se poderia dizer parva.

Mas ninguém pode ser tão néscio. Muito menos Unhão Dinis. A coisa era clara: o ouvidor vinha observando o patrão há muito; e armava a ratoeira para o bicho errado.

Antes que Eulália entrasse com os bolos, Unhão Dinis deixava o solar. Sequer tive tempo de lhe copiar os versos. Só mais tarde vim a saber que se tratava de obra de um tal Sá de Miranda, morto há mais de meio século e que, por isso mesmo, já não corria risco.

14

Procurei sair sem ser notada, logo cedo, para que nem a sinhá, nem a mucama velha pudessem ter a dimensão exata do tempo que eu iria despender na cidade. Principalmente a mucama velha, a linguaruda, que não perde ocasião de me meter em intriga. Mas ainda acabo com ela; depois. Naquele momento, eu precisava era de ver Camussude.

Cheguei a São Sebastião, fui direto ao armarinho, aviei o que me foi mandado, deixei os embrulhos com Mbunda Inene, na tasca do Peixoto, levei a carta da sinhá para dona Almerinda (tendo o cuidado de me fazer ver sem as encomendas e com pressa de andar) e, antes de retomar a estrada de Mata-cavalos, desviei para a ladeira da Misericórdia.

Não foi fácil entrar. Embora a oficina desse direto para a rua, havia gente passando e eu não queria, de maneira alguma, que me vissem em intimidade com Camussude. Assim, fiquei subindo e descendo como um balde de poço, dando volta para aqui e acolá como uma dessas rameiras da rua da Ajuda, tendo que escutar assovios e meia dúzia de palavrões. Até que a oportunidade surgiu.

Como sempre, tive sorte: a dona de Camussude estava na cozinha; e o imbecil ainda não tinha saído para mendigar.

— Veio de novo amenizar o meu tormento, perfeição dos corpos?

Não me tinha visto. Estava de costas para a porta e mexia uns ferros dentro de uma espécie de braseiro. Ainda olhei pelos cantos procurando um espelho ou algo que refletisse. Mas me lembrei que estava cego.

— Duas pessoas vêm a mim. Uma, sempre aos berros; a outra, sempre em silêncio. Não me engano nunca.

Era um homem fascinante e perigoso. Continuou de costas, quieto. Não resisti e comecei a inspecionar a oficina com os olhos, tentando vislumbrar algum local que pudesse servir de esconderijo seguro a objetos pequenos. Mas ele me interrompeu, na mesma voz monótona.

— Ainda acha que fui eu quem roubou o índio?

Hesitei um pouco, mas resolvi provocá-lo.

— Quem pode saber do que o ciúme é capaz?

— Camba Dinene — começou naquele jeito tranquilo e altivo —, olha para o passado. Vê se o trapo com o meu sangue não está amarrado e enterrado com o dos outros irmãos.

— Sei — insisti —, está tudo no mesmo lugar, onde não podemos estar com segurança...

E fiquei calada, já um tanto sem graça, como quem tivesse cometido uma ofensa grave. Camussude também não disse nada. Então, fui me aproximando, lentamente, até quase me encostar nele, e me pus de cócoras para que minha respiração lhe acariciasse o pescoço.

Camussude suspirou devagar; e não me repeliu. Aproveitei o momento para deslizar a ponta dos meus dedos sobre sua pele. Tive, então, a surpresa: ele virou um pouco o torso e, sem interromper seu trabalho, deixou os lábios entreabertos à altura dos meus.

Beijei-o, da melhor forma que pude, de certa forma já convencida de sua submissão, enquanto ia sussurrando:

— Camussude... não me traia... a irmandade... precisa de vosmicê...

— Basta que um... apenas um... padeça.

— Não... não seja tolo...

Seu coração batia cada vez mais forte. Eu não o amava exatamente. Mas não chegava a lhe ter indiferença. E tentava fazer que largasse aqueles ferros para se entregar de uma vez por todas quando, de súbito, ele se pôs de pé.

Não me empurrou. Não me agrediu. Pareceu me olhar com aquelas órbitas vazias e falou com uma emoção profunda:

— Ceguei meus olhos para não ter mais a alegria de te ver; te beijei pela última vez para nunca mais sentir o sabor da tua boca.

Só nesse momento percebi que empunhava um facão enorme. Era aquilo que ele estava remexendo no braseiro. Então, antes que eu pudesse impedi-lo, puxou a língua para fora, trazendo contra ela o fio incandescente da lâmina.

15

Quando o novo alcaide e os quadrilheiros tiverem apurado melhor o faro e começarem a fechar o cerco sobre a irmandade, eu quero estar bem longe do mocambo, escondido no meu mato, de onde nunca deveria ter saído. Mesmo que em minha aldeia não me aceitem, sou capaz de me aviar sozinho: posso caçar; posso pescar; posso continuar fazendo minhas puçangas por um ou outro escambo em São Sebastião. Desde que não seja para Ana.

Não sei como me deixei envolver por essa escrava. No início, veio me procurar na intenção de umas mezinhas para queimadura de urtiga e outras bobagens. Estranhei, porque pagava muito e se arriscava mais ainda vindo atrás de um índio de má fama como eu.

Não sou daqueles que botam muito tento em fêmea; mas Ana sempre foi bonita. Aos poucos, fez intimidade. E, quando vi, estava enredado nela até ao fundo do fígado. Então surgiu a história do veneno.

Ana conhecia a mandioca-brava. Acreditei: se os portugueses trazem gente de lá, podem bem levar de cá uma planta que cresce praticamente em qualquer chão. Só estranhei quando me perguntou se eu conseguiria preparar com aquela raiz um veneno em pó, que não alterasse o paladar e a cor dos alimentos, e que tivesse um efeito tão mortal quanto o da água que se esgota dela.

Não gosto que se metam assim na minha arte e me apontem ingredientes que devo ou não empregar. É uma espécie de profanação. Prefiro ser roubado de novo a ter de atender a uma demanda dessas. Mas, para ela, aprontei o veneno. E foi exatamente nessa circunstância que eu a desvelei por inteiro.

Pois Ana era a capitã da irmandade, essa canalha de escravos assassinos que anda espalhando o horror entre os cariocas e pondo à mostra a fraqueza das milícias do rei.

É óbvio que, no início, a ousadia me atraiu. Nunca fui flor que se cheirasse. Nunca me conformei em viver na dependência de dádivas, seja do céu, seja da terra, ou de uma outra pessoa. Mas sou índio. Os desgraçados não me quiseram. Têm lá uns ritos esquisitos. Praticam feitiçaria. Acho até possível que sejam canibais. Não é lugar para mim.

Mas já estava de tal forma conformado a Ana que não a abandonei. E, em certa medida, sou mais útil à irmandade não fazendo parte dela. Porque é a mim que Ana recorre para obter as suas drogas. Sou eu — Lemba dia Muxito, como me chamam — quem cria a arma mais poderosa da irmandade: o *divumo diazele*, como se diz naquela mesma língua o nome do mais violento e letal purgante de cujo preparo especialmente me orgulho.

Seria tudo perfeito se continuasse assim. Mas Ana resolveu exagerar. Passou a cometer as atrocidades mais odiosas. Quis desafiar abertamente os homens da Coroa. Provocou asco, suscitou ódio, feriu vaidades. E, como se já não bastasse a mobilização de todas as tropas contra ela, tem agora de enfrentar um traidor — surgido da própria irmandade; e que a vai roer por dentro.

Sei precisamente o que isso significa. Eu mesmo padeci na mão desse cachorro. Para começar, desafio quem quer que seja, mesmo aos aventureiros que andam a caçar gente por meia dúzia de mil-réis, ou quem esteja habituado a percorrer o caminho do Capoeiruçu, a descobrir minha toca no mangual de São Diogo. É lá que escondo minha cachaça, minhas ervagens, o dinheiro do meu trabalho; e só.

Foi lá que guardei aquela bolsa com o dinheiro roubado do trapiche. Porque Ana me pediu. Mas nem ela sabia onde.

Não durmo no meio do brejo; não fico passeando por ali. Mesmo que alguém se metesse pelos alagados (o que às vezes acontece quando destacam uns sentinelas para prevenir razias de índios bravos), não iria sair pondo a mão em tudo que é buraco pensando em descobrir tesouro.

Por isso, tenho certeza de que foi alguém que me seguiu. Talvez se tivesse intrometido no engenho abandonado de Socopenapã, onde costumo arranchar quando não estou pelo sertão.

E se alguém me seguiu, sabia por que fazia; tinha de saber que a fortuna do trapiche estava sob minha custódia. Tinha estado com Ana. Conhecia sua decisão.

Mas eu sei quem é; ou melhor, quem são. Estou acostumado a lidar com venenos. Percebo as coincidências mais sutis entre fatos que as pessoas comuns consideram casuais. Ana tem clara preferência por dois dos seus comparsas. São os únicos que falam a língua dela.

Pois bem, são justamente esses dois que estão agora reunidos, acoitados no mocambo da Guaratiba — ela, fugida de um engenho de açúcar; ele, pouco antes de ser posto na cadeia.

São indivíduos estranhos, mal-encarados, ameaçadores. Eu sei bem, porque sou eu quem leva as mensagens de Ana para eles, quem supre os seus mantimentos, quem até está morando lá para os proteger. Por isso, sei também que estão tentando atrair novos bandidos para a súcia. Do que não tenho certeza é se Ana continuará sendo a rainha.

Num dia desses, perguntei a ela se não eram eles, esses mesmos dois, que desempenhavam as funções principais nos últimos e malogrados atentados da irmandade.

16

Sei que, na qualidade de integrante da companhia das ordenanças, meu dever era fazer a relação de quanto vi, ouvi e sofri naquela noite abominável, quando testemunhei um companheiro crepitar no fogo como um porco frito. Mas ter medo da morte é tão indigno quanto humano.

O finado e eu costumávamos montar guarda no trapiche, durante a noite, precisamente para atemorizar e coibir os oportunistas que não perdem vez de praticar a senda vil do crime roubando e furtando o que pertence a outros e foi adquirido com trabalho.

O trapiche — era sabido — andava já meio decadente. O moço Aleixo Manuel, titular da concessão, vivia maldizendo o negócio, atribuindo responsabilidades à vereança e a outros homens bons da cidade, e parecia não estar interessado em renovar o privilégio. Era pelo menos a desculpa que nos dava para tão ínfima propina.

Mas nasci para cumprir o meu dever. Por isso mesmo estava sempre lá, do cair da noite ao raiar da aurora, montado em minha carabina, pronto para o combate. Infelizmente, porém, o finado não me tomava por exemplo.

Eu tinha notado (mas não sem uma certa dúvida que caracteriza os espíritos bem-intencionados quando julgam os atos perpetrados abaixo da sua estatura) no finado meu companheiro que o mesmo parecia muito interessado em observar os defeitos e falhas do edifício do trapiche, não para denunciá-los ao moço Aleixo (até porque de nada serviria, visto a sua tão propalada quanto falsa penúria e má vontade), mas para aproveitá-los de alguma maneira, certamente escusa (e reparava que dessas rondas o finado jamais comentava suas conclusões).

Certo dia, ou antes, certa noite, quando, em vez de dar a volta completa ao redor do prédio, girei sobre meus passos, talvez impulsionado pela Providência ou por uma determinação inconsciente da minha argúcia militar, e refiz o caminho, divisei o finado simplesmente adentrar o trapiche, pelo portão lateral, quase sem fazer ruído.

Não apenas vi. Ouvi também: sussurros em voz baixa, mas que não continham a excitação de quem falava; ou melhor, dos que falavam, pois seguramente eram mais de um. Surpreso, outra vez dilacerado entre o medo e o dever, me esgueirei pelas paredes, na esperança de enfrentar oculto aquela adversidade.

Foi quando o finado assoviou. Sei que era para mim porque o silvo correspondia ao previamente combinado para situações de urgência. Como estivesse praticamente à porta, não demorei. Mas avancei com cautela, de carabina armada, preparado para fugir ou atacar, conforme a circunstância.

Assim que assumi a posição de ver e ser visto, a meio caminho entre o portão e a esquina mais próxima, pude decifrar — presumo — toda a trama.

Pois à frente, sob o umbral, estava o finado, de mãos vazias e sabre à cintura, tendo enrolada num dos punhos uma corda grossa; e, atrás dele, mais para o fundo, não de todo encoberto por seu corpo, um vulto que vasculhava nas gavetas de Aleixo Manuel.

Num átimo concluí que era uma emboscada. O finado pretendia me matar e simular um assalto, com o auxílio da corda e do homem cujo contorno eu percebera. Mas no átimo seguinte, devido talvez à mesma Providência ou a qualquer evento fortuito que vez por outra faz e desfaz destinos, irrompeu o alarido.

Quase no mesmo instante um embuçado — que se diria escravo pela cor e pelos pés descalços — caiu sobre mim vindo de não sei que ponto, me esmurrou a face com denodo e violência, e atou-me braços e pernas com outra corda grossa, enquanto alardeava:

— A ronda vem vindo! Corre! Debanda!

Caído no chão, de mãos atadas para trás, ainda pude testemunhar dois embuçados saírem do trapiche. Não sei se o finado teve o desprazer de conhecer, antes da morte, a infâmia da traição — em tudo similar à que ele próprio contra mim intentara — pois o bandido que vinha de onde eu vira o vulto tinha um facão em riste, à altura dos seus rins indefesos.

Virei o rosto, em sinal de respeito, e pude assim acompanhar a fuga dos facínoras, que já descobriam a cabeça para não serem identificados como ladrões. Pensei de lhes ver o rosto; mas não olharam para trás.

Tudo isso aconteceu em segundos. Logo depois o incêndio começou. Ainda consegui me arrastar pelo chão e ficar a uma distância segura das chamas, até ser resgatado por alguns dentre os bons súditos do rei.

Devo admitir que a sorte superou o valor. Mas o importante é que estou vivo. Só estranhei que a tal ronda, que tanto apavorara meu agressor, sequer compareceu para apagar o fogo.

17

Para meu espanto e alarme, quando acordei com a vergastada de Lemba dia Muxito em minhas coxas sonolentas, não vi Muene Lumbo. Cheguei a esboçar uma pergunta, mas o rosto inamistoso do bugre e a circunstância de me encontrar a sua mercê me fizeram calar.

Estávamos ali, naqueles pântanos, desde o alvorecer. Os dias de caminhada, de Guaratiba àquelas zonas perigosas das cercanias da cidade, pelo meio do mato e por cima de pedra, me tinham exaurido. Mas Lemba dia Muxito conhecia Camba Dinene o suficiente para obedecer. E eu também.

Dessa vez, contudo, apesar da noite, a marcha foi mais fácil: em quatro horas estávamos eu, Quissonde e Tata Ngombe, guiados por aquele bruto, no engenho abandonado de Socopenapã.

Camba Dinene surgiu em seguida. Não falou com ninguém. Acendeu um cachimbo, pegou numa cuia de cachaça, se acocorou no local de onde comandaria a assembleia e esperou, observando atentamente as reações de Lemba dia Muxito, que vigiava tudo do alto de um jequitibá.

Pouco a pouco, chegavam os de sempre: Múcua-Mbije, Mbunda Inene, Camundele, Disso dia Zundo. Camussude, certamente, não viria. E Camba Dinene já ia começar a falar quando, enfim, estranhamente acompanhado de Múcua--Pemba e de um desconhecido, Muene Lumbo apontou.

Encarei-o com uma expressão natural de curiosidade, mas ele apenas me acenou discretamente; e ia se dirigir a Camba Dinene quando ela, sem mesmo tirar o cachimbo da boca, resmungou na nossa língua:

— *Imana bana!* ("Fique onde está!")

Muene Lumbo conseguiu dissimular bem (em parte porque o tom da ordem não traía rispidez, além de o conteúdo — exceto por mim e por Muene Lumbo — não ser acessível aos demais) e reorientou a trajetória do corpo, indo se acomodar placidamente entre Quissonde e Múcua-Mbije.

— O tempo é curto e o risco é grande (começou Camba Dinene). Quem pôde vir, já veio. Reuni a irmandade hoje, aqui, conhecendo todos os perigos, porque vamos iniciar mais um irmão. O primeiro arrebanhado por Múcua--Pemba.

A apreensão era nítida, em todos. Em princípio porque qualquer novo irmão trazia consigo a possibilidade de não suportar o rigor da nossa lei, de por isso desertar, ou até trair. Depois, porque sabíamos que as milícias de São

Sebastião estavam em nosso encalço, já tendo enviado rastreadores de escravos fugidos contra o mocambo da Guaratiba (onde já viviam quatro irmãos, incluindo eu e Muene Lumbo), e que já não era tão improvável surpreender um de nós vagando inexplicavelmente armado, à noite.

Mas a razão primordial do temor era a suspeita da própria Camba Dinene: a de que havia entre nós um traidor. Por isso, durante o tempo em que mantivera o discurso em suspenso para um gole da cuia e uma puxada de fumo, encarando a todos de frente, dominando qualquer movimento por mínimo que fosse, não houve sequer uma troca de olhares, até que ela mesma prosseguisse:

— O irmão que nasce hoje não veio somar. Mas substituir o que vai morrer. Porque quem entra na irmandade não se desincumbe dela. Vivo. E eu vou descobrir, olhando no olho de cada um, quem de vosmicês quebrou o juramento de sangue.

— Mas não temos provas — interrompeu Tata Ngombe. — Ainda, pelo menos.

Camba Dinene não perdeu a calma. Estava convencida: a ronda que surgiu no assalto ao trapiche (como se houvesse havido uma denúncia) e o sumiço do dinheiro que roubamos; os problemas no ataque à cadeia (quando não conseguimos dar fuga aos presos); e o que aconteceu no engenho do Irajá (em que fui cativa), quando nem os senhores nem os agregados foram torturados, como previsto.

Nisso, ao menos, Camba Dinene tinha razão. O fato de os patrões terem saído, à noite, sem serem notados, só se explica se a casa-grande tivesse sido prevenida. E a troca do calmante pelo *divumo diazele*, que fez morrerem os apaniguados do senhor antes de sofrerem o suplício merecido? Estou certa de que nem mesmo o caboclo — homem nojento e sem escrúpulos — me viu apanhar as garrafas ocultas na touceira por Múcua-Mbije. Também estou certa de que ninguém me viu entrar na cozinha, com as garrafas enfiadas num samburá de roupa branca, e deixá-las no lugar de costume até a hora da ceia dos agregados.

As pessoas começaram a discutir, a assembleia ia perdendo o rumo, Camba Dinene ia levantando a voz para retomar o controle das coisas, quando Múcua-Mbije se antecipou:

— Se há um traidor, alguém que queira impedir a nossa ação, por que não nos denuncia? Não é necessário que se confesse membro da irmandade para dizer que ouviu falar de nós pelas esquinas.

Camba Dinene calou. Todos calaram. Mesmo os que descriam no traidor não tinham encarado o problema desse ângulo. Fiquei tensa, incomodada. Porque isso demonstrava poder haver por trás de tudo um sentimento acima da trivialidade do despeito, da vingança, da cobiça.

— Lemba dia Muxito! — Camba Dinene quebrou o silêncio, de súbito. — Pode descer. E me espere na picada.

O juramento ia ter início. A um sinal de Camba Dinene, as palmas, abafadas, ressoaram; mas foi Mbunda Inene — e não ela, Muene Lumbo ou mesmo eu — quem puxou um ponto, numa língua que não era a de Matamba. Foi quando pressenti que aquele tratamento seco, distante, em relação a mim e a Muene Lumbo, não era casual.

A cerimônia, no entanto, seguiu a rotina. Após cada um se ter apresentado ao novo companheiro, Múcua-Pemba o conduziu para diante de Camba Dinene. Os demais também se acercaram. Algumas facas reluziram à luz da candeia. Camundele começou a cavar um buraco próximo aos pés da nossa principal.

— Que nação é a tua? — inquiriu Camba Dinene.

— Guiné.

— Pertence a quem?

— Manuel Pacheco, da olaria.

— Tem oportunidade de sair à noite, sem ser visto; portar arma branca, sem ser notado; receber mensagem em casa, sem chamar atenção?

— Tenho, Camba.

— Sabe por que fazer sofrer é mais importante que matar ou roubar?

— Estou aprendendo, Camba.

— Passem a faca!

Um por um, sangramos nossos próprios corpos, fazendo que o filete escorresse e fosse embeber um trapo sujo e imprestável, fornecido por Mbunda Inene. Até que chegou a vez do desconhecido. A própria Camba Dinene fez a incisão na mão esquerda do noviço, que não conseguiu dissimular a dor.

Por fim, Camba Dinene se deixou sangrar (pela primeira vez, não por mim) e entregou a Camundele o farrapo, então empapado com o sangue de todos, para que fosse sepulto no buraco. Foi aí que vim a assistir ao vexame humilhante imposto a Muene Lumbo; e fiquei convencida de que realmente estávamos sendo preteridos; e de que os ritos da irmandade se modificavam.

Aconteceu quando, após Camundele ter nivelado a terra que cobria o selo do nosso pacto, Muene Lumbo se agachou e, como de costume, começou a entoar:

> *Mukwa njinda*
> *Kadia-Pemba uabixi...*

Camba Dinene, então, agora sem mais pudor de ser grosseira, ergueu um pouco a perna e tocou com a planta do pé o joelho de Muene Lumbo, que teve de buscar apoio no chão para não tombar.

— Sou eu quem comanda. Ainda.

E, diante dos rostos aparvalhados da irmandade inteira, fixou os olhos em Múcua-Pemba. Este, num gesto inusitado, pegou de um caniço com aquela mão sem dedo e, pronunciando uns encantamentos numa língua estranha, com uma voz monótona, meio cantada, traçou um daqueles seus rabiscos sobre o buraco.

Camba Dinene pareceu não dar importância; não quis saber de Múcua-Pemba o que diziam, mas se voltou para o novo irmão, curiosa:

— Também sabe decifrar esses desenhos?

— Sei. Está escrito *bismillah* — *em nome de Deus*. Na minha terra, é como se garante a palavra dada.

Camba Dinene sorriu.

— Vosmicê vai se chamar Múcua-Zâmbi. Porque vosmicê está trazendo um sinal. E no próximo domingo, quando acontecer missa e batuque para a escravaria, nós vamos — em nome de Zâmbi — descobrir aquele que não soube garantir sua palavra.

18

Um ano antes da estrepitosa e afamada visita de Jinga a São Paulo de Luanda, Mendo Antunes se encontrava embrenhado nos sertões de Matamba, cioso de servir à rainha, já metido nas intrigas e escaramuças de Jinga com o irmão e preocupado com as arremetidas de seus compatriotas pelo interior (que andavam pretendendo alevantar alguns inexpressivos chefes locais, de há muito tributários dos legítimos descendentes de Ngola Quiluanje).

Por isso — por suas pretensões junto à soberana, por já não haver muito espaço para ambiguidades ou tolerância — Mendo Antunes não teve como deixar de fornecer armas e braços para uma campanha de Jinga contra Caculo Cambambe, soba rebelde que se recusava a pagar tributo — provavelmente por instigação portuguesa, embora não fosse absurda a hipótese de uma influência indireta de Ngola Mbande.

Talvez apostando tudo nessa última alternativa (que não lhe traria atritos em Luanda), Mendo cumpriu alguns rituais, se despediu de Jinga e partiu — sob o comando geral de Calunda — como um dos cabeças da expedição punitiva.

A jornada — que deveria ser tão rápida quanto sigilosa — compreendia a difícil marcha até o alto Lucala, de onde parte da força desceria o rio para atacar de surpresa a aldeia de Caculo, enquanto os remanescentes estivessem simulando um ataque por terra, na tentativa de desviar a atenção inimiga.

Mas as coisas não estavam bem, desde o início. Primeiro porque Quituxe, o muene lumbo — que (todos sabiam) odiava Calunda e que, cada vez mais, influía nas decisões da rainha —, se opôs à indicação daquele para dirigir o assalto, propondo em seu lugar o nome de Quitala, guerreiro jovem que vinha obtendo muitos bons sucessos.

Os debates foram calorosos; havia gente de todo partido. O próprio Calunda fazia menção de renunciar ao comando quando, num de seus rompantes, Jinga pôs fim à controvérsia, proibiu qualquer protesto e ratificou o plano traçado primitivamente.

Assim, a milícia pôs-se a campo, levando em seu bojo um contrariado Quitala, que não quis ou não pôde dissimular a frustração e talvez um certo rancor.

Chegados ao ponto onde se dividiriam, houve o primeiro incidente. Quitala, designado por Calunda para comandar a frente que faria o arremedo de ataque por terra (e que consistiria em disparos esparsos, à distância segura, contra cultivadores desarmados, como que a sugerir as guerras de cuata-cuata[3]), discordou da quantidade de homens que lhe era conferida: segundo ele, pequena demais.

Mendo Antunes, mesmo sem querer, acabou se envolvendo na disputa, ponderando, persuadindo, tentando fazer que cedessem ambos, um pouco cada um.

Deve ter obtido algum efeito, porque logo os ânimos arrefeceram. E Quitala seguiu a pé, rio abaixo, em direção das matas que circundavam as roças indefesas da aldeia de Caculo Cambambe.

Porque descer a correnteza fosse mais rápido que marchar a pé, Calunda e os demais começaram a improvisar os abrigos noturnos. Entre eles, Mendo Antunes.

O que aconteceu depois, quando Quitala já ia a meio do caminho, pôs fim a sua malquerença com Calunda, conquanto de uma maneira insatisfatória para ambos, como se irá ver.

Era noite alta quando Mendo acordou, sobressaltado, com o tumulto e o alarido vindos da mata, provocados pelos homens da vigília, que traziam — provavelmente já sem vida — o corpo inerte do comandante Calunda, vítima de um tigre (ou de uma onça) surgido, enorme e

---

[3] "Pega-pega" em quimbundo; termo que designa as investidas para a captura de escravos.

repentino, do interior das trevas para cravar as mandíbulas em seu pescoço.

Os guerreiros que acompanhavam o comandante não lograram capturar ou ferir o bicho — que acabou fugindo tão logo se viu ameaçado.

Ainda se travava um último embate contra a morte quando alguém acusou:

— Quitala matou Calunda.

Imediatamente, uma toada de vozes múrmuras e apavoradas pareceu assentir. Mendo Antunes, que estava atrás do acusador, tentou ironizar:

— Como? Se Quitala, a estas horas, deve estar quase alcançando a aldeia de Caculo?

Alguns rostos, incrédulos, se voltaram para o estrangeiro amigo de Jinga:

— Precisamente por isso — disse um deles.

19

Ainda não tinha enfrentado o olhar de ninguém: do prior, dos padres, dos meus companheiros de ordem (especialmente do irmão Francisco, a quem imundicei com a lama do pecado) e sequer dos escravos do convento (de quem nunca cheguei a ter suspeitas). O julgamento unânime dos homens certamente me atribuía alguma espécie de remorso ou vergonha. Talvez nem mesmo Deus houvesse de me compreender.

O fato é que não me demorei a recuperar o bem-estar do corpo após o ataque, sofrido na companhia de Francisco — o que muito devo à caridade e dedicação dos que não tiveram pudor de vir às nossas celas. Era quando sentia, vez por outra, as mãos pesadas e mudas do prior — no meu rosto, nos meus ombros, nos meus braços e até nas minhas pernas — como a intimar uma confissão, um depoimento, um relato, uma satisfação que fosse.

Calei sempre. Baixei os olhos sempre. Mesmo quando desci pela primeira vez ao refeitório, à janta, e me deixei ficar, quieto, com a cabeça curvada rente à mesa, espedaçando e mordiscando uma côdea de pão preto.

Supunha estar sozinho, quando ouvi a mão pesada em meu pescoço:

— Irmão Francisco já me contou tudo. É a tua hora.

Disse e se sentou ao meu lado, manso como sempre. Senti novamente seus dedos suaves no meu braço e levantei, titubeante, o rosto. Mas não vislumbrei nos olhos do prior a expressão que temia e, assim, falei.

Falei da minha paixão por um prazer do século. Padeço desse mal desde antes de prestar meus votos. Os corações vulgares deverão dizer que amei ou amo através da carne. Não chega a ser assim.

De início, jogar às cartas tinha um sentido meramente lúdico. Fascinavam a expectativa do sucesso e o temor do fracasso. Mas, com o evolver do tempo, passei a experimentar, em determinadas ocasiões, a convicção acentuada de estar com sorte — o que se confirmava na maioria das vezes.

Por isso, porque aprendi a pressentir tais instantes, não me tornei um perdulário e não dispus da minha fortuna de família mais que o necessário para esse pequeno capricho do mundo.

Não sei como começou. Mas, quando dei por mim, tinha formada uma noção concreta da previsibilidade do porvir — que não necessariamente conflitava com o livre-arbítrio.

Minha tese encontrava apoio nas próprias escrituras:

Cristo predissera a traição de seu primeiro apóstolo. Portanto, ao menos certos passos, certos momentos, certos eventos da vida estavam escritos, traçados por uma vontade superior, senão divina.

Assim, a temporalidade do mundo, de que me deveria apartar, me obcecou. E me envolvi com ciganas, cabalistas, astrólogos. Até pecar.

Porque passei a crer, porque pretendi — de livre e boa vontade — ter o domínio do futuro. Não apenas para conhecê-lo; mas para jogar com ele.

Quando procurei a açoriana (após meses de angústia vividos numa cidade onde tudo se me proibia) o que podia me restar de dúvida se dissipou:

— Vossemecê possui um companheiro. De pele muito clara. Gordo. Rosto flácido. Um tanto calvo. Ainda jovem. Ansioso. Não muito convicto da própria vocação (me disse a açoriana, após consultar umas tabuinhas riscadas meio à moda oriental).

A descrição quadrava com a de Francisco. A feiticeira (porque é preciso nomear a vil baixeza a que desci) vaticinou-lhe um mal. Não definiu exatamente o que era. Mas tão somente que só eu o poderia evitar.

Então, sem que me custasse convencê-lo, combinamos uma visita furtiva à açoriana. As fugas do convento são sempre perigosas. Não que vivêssemos trancafiados: é que não é lícito, ou melhor, não é presumidamente lícito a frades percorrer as vielas noturnas desta cidade que é qualquer coisa como uma nova Sodoma.

Quando ganhamos a rua (e a partir daí meu relato, ante o prior, se tornou doloroso) fui acometido por estranhas sensações em que não quis reconhecer sinais. Primeiro foi o vislumbre rápido de dois vultos (creio que de escravos) que pareciam nos seguir. Temi pela bolsa que Francisco trazia e apertamos o passo para os lados da lagoa da Polé, onde ficava o covil da açoriana.

Aí as coisas se complicaram, em definitivo. Porque notei a presença do sujeito que tragicamente testemunhara minha primeira visita à feiticeira (e a quem subornara com duas patacas), quando cometi a imprevidência de não me disfarçar.

Não gosto de lembrar os rituais a que nos submetemos (e não cheguei a dar detalhes ao prior) e que redundaram nos mesmos maus agouros.

— Vejo a espada do anjo despencar do céu — vaticinou a açoriana, várias vezes.

Quando saímos, nervosos, deprimidos, caiu sobre nós o olho mau do homem das patacas, como uma verdadeira maldição.

E de nada adiantou a pressa. Já alcançávamos as imediações do convento, aconteceu o ataque: quatro escravos embuçados nos cercaram, derrubaram, amordaçaram e despiram sem que tivéssemos tempo de gritar por socorro. Um deles nos atirou dejetos de animais. E quando começaram a nos esbordoar, um outro ergueu a faca à altura do meu pescoço. E só não consumou o crime porque um de seus comparsas desviou com o pé a trajetória da lâmina (diria mesmo que com ódio) e continuou a me espancar.

O que não contei ao prior, o que não quero contar a ninguém, ou antes, descrever, é o olhar do bandido que me iria assassinar — olhar que ainda temo ver reproduzido no rosto do prior e das pessoas, porque era um olhar doce, benévolo, piedoso, parecendo mesmo irradiar a mais profunda compaixão; apesar da faca.

20

Percebi a presa a uns cinquenta passos, mas não pude ver quem era. Esta cidade é tão mal iluminada quanto a cabeça dos seus habitantes. E as candeias esparsas servem mesmo é para orientar adúlteros que saltam todos os postigos.

Um preto à noite é sempre um mau sinal. Ali, àquela hora, éramos dois. Não chego a ter superstições, mas não pude deixar de me lembrar que foi precisamente naquela rua e daquele ângulo que pude ver a cara sem-vergonha do principal amante da mulher do juiz Vaz, generoso e recompensador dos servidores que lhe são fiéis. A recordação do tilintar daquelas moedas me fez avançar.

Mas o safado, o outro preto, já ia contornando a matriz, no rumo da Casa da Câmara, e eu mal o acompanhava, quase de rastros, como uma barata. Primeiro tinha de ter certeza de que se tratava de alguma coisa suja. Foi quando vi surgir, da ruela fronteiriça, um terceiro preto, com um facão.

Tive a nítida impressão de que trocaram gestos. E, num átimo, considerei que estaria assistindo aos esboços de um crime — o que poderia me render dinheiro.

Enfrentei lixo e alguns ratos para mais me aproximar da cena; e a boca se me encheu de água quando o preto que eu perseguia estacou precisamente sob a luz de uma candeia. Oculto no monturo, encarei o patife. E reconheci: era Sabino, escravo do ouvidor-geral, um dos muitos cornos que o Rio de Janeiro acolhe.

Armado de pistola, não tinha que temer. Mas me veio à mente a vez em que quase antecipei minha entrada no inferno, quando surpreendi ladrões nos beneditinos: também eram dois; também tinham facões. Foi sorte conter o ímpeto e evitar o risco do confronto. Porque logo surgiu mais outro. E porque foi mais fácil denunciá-los, tão somente.

Estava bafejado pela fortuna, porque Sabino se voltou em minha direção sem me notar e assumiu uma posição de espreita, mais à frente, pondo novamente as costas à minha mercê. Não demorei a intuir que, daquele ponto, ele tomava uma visão dos fundos da Casa da Câmara, onde ficava a cadeia. O outro (o terceiro) continuava indiscernível na escuridão do beco.

Mas foi de lá, da cadeia, que irrompeu um burburinho qualquer. Divisei (acho) um ordenança cruzar ao fundo. E — justamente quando Sabino tentou talvez se esconder, mudando de posição — surgiu o carcereiro de detrás da esquina, súbito, agitado, canalha (como prova de que qualquer rebanho tem de ser pastoreado por uma besta igual).

A cena foi insólita: Sabino disse um monte de tolices que não pude escutar, enquanto o carcereiro (que não perde aquele jeito de índio bravo) olhava o tempo todo para trás e para os lados, balançando os braços e mexendo as pernas, como quem quer coçar o corpo inteiro.

Notei (porque prestava atenção) que o companheiro de Sabino tinha-se evadido. E logo vi o carcereiro sumir no escuro, da mesma forma como aparecera.

Devo ter-me distraído alguns segundos, porque, quando dei por Sabino, o desgraçado já passava correndo à minha frente, o que me obrigou a me encolher, recuar e pisar numa espécie de bosta que ficou fedendo quase uma semana.

A convicção de que o escravo do ouvidor tinha algo ilícito a cometer naquela noite me deu ânimo de persegui-lo. E foi o que fiz: pedras soltas, tábuas farpadas, poças de água suja e buracos. Como das vezes em que rasteei negros fujões. É preciso gostar muito de dinheiro para não esfolar um miserável desses.

Não sei se foi a precaução da distância que devia manter ou a própria escuridão, mas o fato é que — pelas bandas da lagoa da Polé — Sabino desapareceu, como se tivesse sido tragado pela terra. Rodei ainda em torno, por quase uma hora, mas não me aventurei a penetrar no mato.

Na verdade, pensei tentar — como tentei — denunciar Sabino ao ouvidor-geral e obter o privilégio de estourar sozinho o mocambo em que provavelmente se ia esconder. Mas quando enfim (a muito custo) entrei na ouvidoria, o senhor Unhão Dinis não se mostrou interessado. Aliás, detrás de pilhas de papéis, quase não me deu atenção. Ao contrário, para meu espanto, foi aquele pescador de baleias quem me recebeu e informou estarem já cansados de saber que Sabino tinha fugido.

Mas o que mais impressionou foi a maneira espaçosa e a conversa atoleimada do tal Antunes: em vez de levar a sério a empresa que eu propunha, começou a me interrogar a respeito dessa tão falada irmandade, se eu não saberia de alguém que parecesse pertencer a ela ou (pasmem!) se eu não conhecia alguma escrava fornicadeira, de pernas grossas e cicatriz na bunda.

Confesso que saí dali intuindo que me tomavam por palhaço. E, se não fosse a recompensa de doze mil-réis (dobro do que pagam por um preto comum), não teria ficado tão afoito atrás da tal negra.

Pois sou um forro apessoado, valente, de língua solta, capaz de pagar umas cachaças. E — como ninguém da ralé tivesse noção do meu ofício — saí me metendo em tudo que é festa de escravo, montando uma depois da outra, quase que de carreira, até ao ponto de contrair um mal que me deixou duas semanas esgotando pus.

O problema é que nem todas estão disponíveis. Muitas têm até família. Outras são safadas, mas não vão com as minhas fuças. É o caso da Rosa, cativa do Peixoto da bodega. Há mais de mês que ando no encalço dela. Se cubro aquela sem-vergonha, ponho cornos nuns cem homens de uma vez. Maldita a hora em que me viciei nesse negócio!

21

Quando Mendo Antunes depôs as armas, o fardo e o próprio corpo no terreiro do paço da rainha e começou a implorar que lhe trouxessem água, ainda não havia compreendido por que voltavam tão às pressas de um ataque que sequer se iniciara. Mas em vez da água recebeu um pontapé na coxa:

— Levanta. A rainha quer ouvi-los. Agora.

Foi só enquanto se dirigia à cubata de Jinga, reunido aos principais chefes da expedição, que Mendo percebeu o estado lastimável dos guerreiros de Quitala, muitos dos quais — como ele mesmo — feridos, esfalfados, abatidos, largados pelo terreiro como árvores tombadas.

De fato, como veio a saber pouco depois, a contraofensiva de Caculo Cambambe tinha sido tão violenta, que metade da milícia de Quitala fora dizimada sem quase oferecer dano à aldeia. Isso precisamente porque o assalto súbito das forças de Calunda não aconteceu.

— Então, macaco? Quero saber tudo.

Diante da rainha, num ambiente tenso em que era fácil perceber hostilidades mútuas, Mendo Antunes não pôde mais que relatar o incidente, apenas.

"Quitala matou Calunda", ouviu alguém dizer quando chegou ao fim.

Mendo não entendeu, como já não havia entendido. E, em meio às muitas vozes que se alteravam, distinguiu a de Quitala declarar:

— Quituxe também não gostava de Calunda.

Mendo Antunes não pôde conter um grito alto, expressivo, resultado da dor lancinante provocada por um peso que lhe esmagava o pé e torcia o tornozelo. Gritou mais e teve de empurrar Quituxe, que pulara à sua frente para injuriar o covarde, o infame, o ingrato Quitala.

Como acontecia sempre, foi a voz serena de Jinga que sobressaiu:

— Eu também não gostava de Calunda. Assim, resta apenas que os suspeitos, sem exceção, jurem inocência. Em público. Na caçarola de azeite.

Então, no dia seguinte, dignidades, guerreiros, aias, escravos e os demais membros da corte se comprimiram no terreiro para assistir ao juramento que deveria revelar quem dentre os três assumira a forma da fera que matou Calunda.

Camucolo, o principal ganga de Jinga, tinha posto, no centro do círculo formado pela gente, uma caçarola com azeite de dendê até a borda, sobre fogo alto. Camucolo rezava baixo, cantava às vezes, fumava muito e soprava a fumaça sobre a caçarola. Até que deixou cair, no azeite, três pequenas pedras, colhidas ao acaso pelo chão.

Mendo Antunes não tinha sido instruído sobre o que aconteceria; mas intuiu. E, quando procurou a rainha com os olhos — como quem pretende dissuadir alguém de um ato insano —, notou que Jinga, Quituxe, Quitala e o ganga não estavam mais presentes.

Pouco depois, conduzidos por Camucolo, os acusados se puseram diante do azeite, que fervia. Jinga foi a primeira. Dando um passo à frente, proferiu:

— Se fui eu a onça que matou Calunda, Bulungo me cuate![4]

Mendo Antunes teve um ímpeto de se atirar sobre a rainha para impedir que ela levasse os dedos ao fundo da caçarola, resgatasse uma das pedras e ostentasse o braço, indene, ao testemunho ávido da multidão. Mas não houve tempo: tudo isso aconteceu num átimo.

Quitala foi o segundo; e também provou inocência. Faltava Quituxe. De cabeça erguida, encarando com altivez os semblantes que o condenavam já, o muene lumbo frustrou o desfecho que parecia óbvio, retirando, com mão intacta, o último calhau da caçarola. Mendo sorriu, aliviado; e ia tendo um movimento em direção de Jinga

---

[4] Expressão usada nos juramentos, que significa "Bulungo me pegue".

quando percebeu que ninguém, na assistência, saíra do lugar, como se o ritual não houvesse terminado.

E, de fato, Camucolo, após lançar mais uma pedra ao azeite, percorria agora um círculo imaginário, fitando cada rosto, pronunciando frases inaudíveis, soltando fumo contra a multidão, até estacar num dado ponto. Seu corpo foi percorrido por um tremor estranho quando indicou alguém:

— Mulundo. Venha jurar no azeite.

O novo acusado (rapaz jovem cuja esposa — como se veio a conhecer — cometera adultério com Calunda) se adiantou, trêmulo, hesitante, querendo talvez se defender. E chegou a balbuciar o juramento. Mas não teve coragem de pôr a mão na caçarola.

— Um momento!

Era Jinga, que voltava da cubata com uma adaga nas mãos. Após ter confabulado com Camucolo, se dirigiu a Mulundo:

— Esta arma pertenceu a Calunda. Mate com ela uma de suas galinhas para oferecê-la a Cariapemba, na primeira encruzilhada da floresta.

E Mulundo partiu, então, embora a noite caísse e os tambores começassem a bater:

Mukwa njinda
Kadia-Pemba uabixi...

Novamente ao lado da rainha, Mendo Antunes procurava compreender exatamente o que tinha acontecido. Mas Jinga só se deteve na história de Cariapemba.

"Quando apenas Ngunza e sua mulher habitavam o mundo, quando a terra e o céu estavam próximos, Ngunza sentiu tédio e pediu a Zâmbi que lhes desse um companheiro. Zâmbi prometeu que lhes daria um filho. Então, quando ficou grávida, a mulher de Ngunza começou a preparar no pilão a comida da criança. Mas pilou tão forte que deu com a ponta do pilão no céu. Zâmbi, indignado, afastou o céu da terra, deixou o casal só e maldisse a criança, prevendo que ela traria o mal à terra.

"Quando Cariapemba nasceu, começou a pedir comida, porque tinha de crescer. Ngunza trouxe pássaros, cobras, peixes, cachorro, jacaré, cabra, gazela, mais tudo quanto é bicho. E Cariapemba não parava de comer.

"Um dia, quando Ngunza foi à caça e voltou de mãos vazias, viu que Cariapemba tinha comido a própria mãe.

"Então, Ngunza amaldiçoou Cariapemba, dizendo que ele não teria mais comida e não iria mais crescer. Só que Cariapemba resolveu comê-lo; e Ngunza teve de atacá-lo, de facão.

"Começou, assim, a cortar Cariapemba em pedaços. Mas ele não morria. Quanto mais Ngunza cortava, mais Cariapemba se multiplicava em cariapembas menores, que fugiam para todos os lados.

"Por isso que Cariapemba não cresce; mas também não desaparece. Continua do mesmo tamanho, espalhado em pedaços pelo mundo inteiro."

— E é com esse tipo de demônio que aquele jovem indefeso foi se encontrar? — Mendo perguntou.

— Não — disse Jinga. — Mulundo foi atrair para longe o pedaço de Cariapemba que veio parar entre meu povo.

Por uma fatalidade, Mendo Antunes decidiu não retornar de imediato a Luanda, até se recompor. Por isso, acabou por ter notícia de que Mulundo não voltaria mais. Porque foram encontradas, na primeira encruzilhada da floresta, a adaga, a galinha e uma cabeça humana parcialmente comida, com marcas aparentes de mandíbulas de onça.

22

Talvez porque tivesse pressa de assistir ao batuque, não devo ter feito nada a contento, pois o bolo de milho e o café caríssimo que nos chegava de navio permaneceram intocados tanto por Inácio quanto pelo patrão, que estavam na sala desde cedo fazendo contas e — como sempre — não haviam ido à missa.

Mesmo assim, me encostei ressabiada à janela, de onde pretendia ter uma ampla vista do largo da Matriz e dos movimentos lascivos de Tião. Mas só realizei a primeira dessas intenções.

Por azar, a roda dos crioulos (que éramos — eu, Inácio e Tião — crioulos) era a mais afastada da janela e eu, volta e meia, perdia algo do que acontecia lá, seja pela escravaria imensa que cruzava à minha frente, seja porque, bem junto ao solar, se agrupavam os angolas — gente festeira também, barulhenta, que já andava toda em volta de um candongueiro, num baticum ferrenho que me desconcentrava.

Notei que até Inácio (que tem jeito e mania de branco) parecia interessado no batuque, parando de vez em quando de escrever para espichar o ouvido em direção da janela. O patrão Antunes não demonstrou reparar, e mesmo se reparasse não acharia mau. Ao contrário, foi ele mesmo quem disse, de repente:

— Então, Eulália! Vá se divertir e balançar os ossos, minha filha!

Só um homem bom como o patrão para incentivar aquele furdunço a sua porta. Era o jeito dele: não reclamava, me deixava mexer à vontade na despensa, nunca ia deitar sem dizer boa noite. (Certa vez, quando arrumava a cama em sua alcova, pus-me propositadamente à mostra, reclinando-me de tal forma defronte ao sofá que seus olhos teriam podido perceber tudo pelo vão da minha camisa; mas ele me respeitou — certamente por não parecer estar meramente usufruindo de um bem que era seu.)

Dei uma desculpa qualquer para permanecer em casa e observei: os angolas já contagiavam todo o mundo, inclusive a mim. Até o guiné da açoriana (homem feio e aleijado, que nem deveria estar ali, pelo preceito que segue) vinha-se chegando de manso, se misturando na nação dos outros.

Foi só então que percebi ser de uma escrava a voz bonita que vinha do batuque. Comentei, com Inácio apenas (para mostrar recato), mas ele continuou mudo. Era sempre assim: não largava aquelas letras por nada, como se ainda fosse ser alguma coisa. (Lembro que algum tempo atrás, quando fiquei sozinha com Inácio no solar e preparei beijus com café para servi-lo enquanto lia a papelada do patrão, fiz uma brincadeirinha tola, sobre a parecença de *beiju* e *beijo* e pus, com falsa despretensão, o pé sobre um sofá, arrepanhando a saia ao nível das coxas; Inácio riu, tão somente, e voltou a ler; senti que me desejava, mas que não me podia tolerar num mundo elevado como o dele.)

Mas um tumulto súbito me chamou a atenção: um preto (que — pelo colete — parecia forro) tentara acertar uns tapas numa escrava conga, mas fora contido pela rasteira de um rival e arremessado quase que para debaixo da minha janela. Não estranhei porque já conhecia Rosa, cativa do Peixoto da bodega, cujos quadris justificavam tudo.

Os dois às minhas costas não deram sinais de notar barulho, nem quando abafei um grito ao pressentir o movimento da mão do forro entre o colete e as calças, na altura da cinta.

Mas só se se levantasse rápido e rompesse logo o enredo de gente que procurava dissuadi-lo, não teria dado tempo a Rosa de se escapar — como de fato escapou (ninguém me ilude que já meio bêbeda) — na companhia do outro.

O curioso é que nada dessa confusão prejudicou o batuque: a escrava angola continuava tirando os pontos e o interesse pela briga desapareceu.

Os segundos que esperdicei nessa constatação me fizeram perder o paradeiro de Rosa, que tentei retomar. Foi aí que divisei Tião, bonito, elegante, junto à escadaria da matriz, numa roda de pernada, onde se amontoava toda nação de pretos.

Era isso, nele, que me entusiasmava: não tinha medo de nada e ria de qualquer bobagem. (Recordo bem o dia em que dispunha açúcares na despensa e Tião me surpreendeu, vindo por trás, insinuando algo sobre a perfeição de formas que não cri serem as minhas; não me movi, esperando tudo; mas ele deve ter esperado mais: lamentou com um muxoxo irônico, meneou um pouco o corpo e saiu — me deixando, agora por três vezes, disponível e intocada.)

Foi tão grande o susto (porque estava embevecida com Tião, a distância) que por pouco não pulei a janela: o patrão Antunes me imprensava contra o parapeito, como fazem às éguas os cavalos, e berrava, com a cabeça por sobre meus ombros e a boca em minhas orelhas, apontando para a escrava que cantava:

— Conheço essa mulher de algum lugar! Quem é ela, Eulália?

É que a escrava começara a entoar um ponto em língua angola (algo como: múcua njinda, cariapemba uabixe...), que não sei por que exasperou o patrão.

Não teria podido responder, porque não a conhecia; e porque o patrão Antunes, depois de se manter por alguns instantes naquela posição constrangedora e opressiva, não esperou resposta, se abalando pela porta afora:

— O trono da rainha Jinga! Chamem os guardas!

Agora com Inácio a meu lado, acompanhei a cena curta que se desenrolou aos nossos olhos: enquanto o patrão se esquivava da escravaria em busca das ordenanças, já sem gritar, procurando talvez não prevenir a quem tencionava deter, mas sem perdê-la de vista, notei — e creio que notamos, porque tinha um Inácio pela primeira vez envolvido num assunto humano — notei, repito, aquele cabinda enlouquecido que falava de Judas quando ainda possuía língua.

O doido vinha molambento, aos tropeços, cego e mendigo como era, mas firmemente no rumo da cantora. Não deixou de me impressionar aquele senso de direção, aquela perseguição da beleza que era o canto da escrava angola (de seu nome Ana, como depois infelizmente soube). O tempo de reparar nesse maluco foi o de o patrão Antunes voltar, com dois soldados. Mas já era tarde. Não houve que fazer. Porque Cristóvão (esse era o nome do mendigo) acabava de calar a voz mais fascinante de mulher que eu já ouvira, ao fazer correr um facão em seu pescoço.

Então, não quis mais ver. Saí da janela, enojada com aquela violência inútil. E, como não estivesse para gracinhas, quase fui eu a degolar alguém por minha vez, quando — pouco depois — o preto forro que levara a rasteira veio procurar o patrão Antunes, mandando avisar ter descoberto a mulher da cicatriz na bunda.

23

Quando o carcereiro irrompeu com a escrava prisioneira na sala escura, suja, desarrumada, contígua ao almoxarifado da Casa da Câmara, onde já nos encontrávamos eu, ouvidor-geral e aquele intrujão do Mendo Antunes, vinha de tal forma exasperado em seus modos, dizia tantos nomes feios sem observar as austeras presenças à sua frente e dava tais safanões na pobre cativa que não estranhei quando — ao fazer menção de apresentá-la, forçando-a a cair de joelhos — acabou por arremessá-la contra o magistrado.

A rispidez e o inusitado da cena provocaram tal sobressalto no armador que este saltou para evitar o impacto (mais em virtude do amigo que da negra, imagino) embolando-se com ela quase ao colo de Unhão Dinis.

As desculpas servis do carcereiro não impediram as gargalhadas gerais, inclusive as da prisioneira, que era quem mais ria; e as minhas, que ria, não do carcereiro, mas da escrava — que talvez não soubesse o que iria acontecer.

Devo admitir que todos os processos respeitantes aos crimes da irmandade eram uma verdadeira pândega (a que eu, como escrivão de justiça, tinha o prazer de pôr em letra). Isso menos pelo despreparo dos que ocupam cargos públicos (como o carcereiro, naquele tamanho descontrole) que pela intromissão ilegal e galhofeira do armador.

Com efeito, toda aquela confusão se tinha iniciado por sua causa: como fiz constar, fora o armador quem sugerira ao forro (que vivia à custa de denunciar crimes e capturar negros fugidos) fosse procurar na escravaria da cidade e dos engenhos uma preta cujas nádegas se encontrassem marcadas por única cicatriz de faca, ressaltando bem não confundi-la com lanhos de vergasta.

Ora, parece que esse tal forro se envolveu em rixa de ciúme com o amásio da prisioneira, na batucada de domingo, e decidiu seguir os sobreditos — indo encontrá-los em posição libidinosa por detrás de algum capim, quando teve a oportunidade de reconhecer a referida marca e afiar os cornos que lhe cresciam à testa.

Mas os trabalhos deveriam prosseguir e o ambiente voltou a ficar tenso. O armador ainda tentava convencer Unhão Dinis a interromper o inquérito, quando o carcereiro (cada vez mais exacerbado em sua inexplicável fúria íntima) terminou de ajustar os anjinhos nos dedos da infeliz, que, sentada no chão e apoiada nuns fardos, tinha os braços para trás, em cadeias.

— Nome e nação — o ouvidor começou.

— Rosa. Do Congo.

— Confessa pertencer à irmandade?

Antes que pudesse responder, o carcereiro já apertava violentamente os anjinhos, arrancando uivos da cativa.

— Confesso... confesso — conseguiu dizer.

A um sinal de Unhão Dinis, o carcereiro relaxou o aperto; mas o ouvidor não obteve muita coisa: Rosa confessava participar da irmandade mas não dava as razões concretas que a levaram a tal pertença; não esclarecia onde e como se reuniam e decidiam seus ataques; descreveu apenas a morte do alcaide, perpetrada por ela mesma; disse que agiam com o fito único de "afastar Cariapemba" (um demônio, por certo); e afirmava categoricamente — coisa em que eu e Unhão Dinis desacreditávamos — ser a escrava assassinada pelo herege a capitã dos criminosos.

Gemeu muito até que o ouvidor, por influência de Mendo Antunes, fingisse aceitar que dizia a verdade.

— Eu reconheci a tal defunta, Gonçalo, no batuque. Cantava uma toada que ouvi em Angola. Era uma das aias da rainha Jinga. Foi sobre ela que Jinga se sentou diante do governador de Luanda, quando lhe ofereceram uma almofada sobre o chão. Curioso que tenha tomado o mesmo nome cristão da rainha.

Só o pitoresco desses casos já compensava o ofício de escrivão. O armador — homem ladino e convincente —

despejou diversas histórias dessa tal rainha Jinga, cheias de cariapembas e de uma crueldade sem limites que, segundo ele, se assemelhavam às práticas da irmandade e davam crédito a que o cabeça da citada confraria fosse alguém que tivesse convivido com a rainha africana.

— Pense, Gonçalo. Tudo começa a fazer sentido.

Mas o ouvidor-geral estava irritado. Queria os nomes dos bandidos. O carcereiro não chegou a operar a rosca:

— Eu digo: Camba Dinene, a nossa maior...

— Eu quero o nome cristão, desgraçada!

— Eu não conheço... — o carcereiro começava a trabalhar. — Esse homem é quem sabe... só usamos os nomes... que a própria Camba nos dá...

Ainda essa vez foi o armador quem intercedeu:

— Posso traduzir esses nomes, Gonçalo. Devem fornecer alguns indícios.

O ouvidor hesitou a princípio mas terminou por convir e determinou que o carcereiro a liberasse, para esticar os membros e recobrar as forças que lhe permitiriam falar com mais fluência.

Mas a pretensão foi malograda. Os apelidos africanos se adequavam bem às personagens já conhecidas: *Camba Dinene* — a chefe, Ana de seu nome cristão — era a *amiga grande*; a prisioneira, escrava do Peixoto da bodega, era *Mbunda Inene* ou *bunduda* (o que se via claramente); o assassino de Ana, *Camussude* ou *pequeno ferreiro* (porque era escravo da esposa do falecido alferes, dono de uma modesta oficina de ferragens), era o famoso herege que ora se encontrava encarcerado e que — segundo a depoente — tinha traído a irmandade.

Todavia, as demais alcunhas não permitiam identificação precisa: *Múcua-Pemba* ou *o do giz de escrever* (não se conhecia negro com esse dom, exceto por uns poucos mouros da Guiné, que não eram feiticeiros); *Múcua-Mbije* ou *o do peixe* (havia muitos que pescavam ou vendiam peixe); *Camundele* ou *branquinho* (o que em si era uma contradição); e assim por diante — nada que revelasse muito mais.

Seria impossível descrever com exatidão a ira súbita que se apoderou de Unhão Dinis. Cortou bruscamente a fala mansa de Mendo e, sugerindo os anjinhos com um aceno, determinou vigor ao carcereiro:

— Ela terá de me dizer exatamente quem são esses escravos. Será que vossemecê supõe, meu caro Mendo, ser possível existir uma confraria sem que os membros se conheçam?

Fiz um esforço tremendo para não rir sozinho da caratonha de misericórdia do armador ante a disposição do magistrado; e aprontei a pena.

Entrementes, o carcereiro tinha sido imbecil o bastante para permitir à desgraçada se subtraísse a sua atenção e se pusesse ao alcance de uma barra de ferro que servira de tranca a alguma porta.

Então — quando avançou para submetê-la — foi pego de surpresa pela reação da escrava, que, apesar do estado lastimável de seus pés, tentou agredi-lo com a referida barra.

O carcereiro foi mais rápido, no entanto. Susteve o golpe e — dominado por um ódio inconsequente e in-compreensível — aniquilou a única prisioneira que ainda poderia falar, talvez a última testemunha em que a justiça iria pôr as mãos, dando com a mesma tranca uma pancada certeira na têmpora da infeliz.

24

Já estava quase assentada sobre a mula que me ia levar de volta a Irajá (depois de duas tentativas fracassadas por conta da precipitação do moleque novo que mal sabia falar e era quase tão estúpido quanto a besta), quando percebi uma acorrida de pessoas na direção do Carmelo. De início, relutei; não queria seguir aquela turba barulhenta e malcheirosa, em que pululavam negros e gente vulgar. Mas nem sempre é possível conter emoções.

Fui, então, no tumulto, imaginando fosse deparar mais uma daquelas desordens a que os frades carmelitas sempre se dão. Infelizmente, no entanto, calhei de ir ao lado de uma velha rabugenta, que, acompanhando a lerdeza da mula e do moleque, veio se intrometer em minha curiosidade:

— Vão enforcar o herege de Judas; o cego; o mudo; assassino da negra que (dizem, mas não sei) comandava a irmandade.

De fato, tinha ouvido aquela história: num desses batuques de domingo, a presumível rainha da irmandade assassina tinha sido morta — por um dos seus próprios comparsas.

Tinha, assim, mais três motivos para prosseguir: inicialmente porque (conforme circulava) quem identificara os primeiros criminosos da irmandade fora Mendo Antunes — nosso benfeitor, que emprestou dinheiro a Antônio para repormos no engenho os escravos que nos fugiram. E não apenas emprestou: veio oferecer. Porque Antônio jamais teria pedido — por ser judeu e ter vergonha disso. (Pois sou eu, apesar de cristã, quem o obriga a cumprir os preceitos do povo a que devia pertencer com orgulho em vez de se renegar e esconder.)

Em segundo lugar, porque conheci essa tal Ana, a escrava que morreu, ou melhor, foi morta. Pertencia à fazenda vizinha e viera acompanhando a senhora quando — a despeito dos preconceitos desta — necessitei de amparo feminino para dar à luz minha única filha, que não sobreviveu. Não sei se foi aquela beleza meio selvagem dos seus cantos de ninar, ou minha própria fraqueza, mas simpatizei com a preta. Tanto que me custa crer estivesse envolvida naqueles morticínios e nos pudesse ter ferido tão profundamente.

O terceiro motivo ainda não havia chegado quando entrei no largo da Polé, embora ali já estivessem a forca e a baderna. Notei, no entanto, que o ambiente não era exatamente hostil; ou que, ao menos, não era unânime a avidez pelo sofrimento alheio que costuma caracterizar a gente daquela extração.

— O herege — gritaram — matou uma assassina! Merecia uma tença real em vez desse colar!

A sensatez, quando vem de tão baixo, realmente surpreende. Como me surpreendeu a reação imediata da velha rabugenta que de novo me fazia sombra:

— Morte a quem não crê em Deus! — zurrou.

Quase dei naquela parva, não fosse um rebuliço súbito na multidão: era o condenado, como adivinhei.

Quando fitei aquele arremedo de pessoa, aquele fragmento de ser que — cego, sem poder se esquivar dos golpes dos soldados; mudo, sem poder responder às acusações que sofria — caminhava para a forca num desprezo pelo mundo, duvidei pudesse ser o homem que nos visitou.

Até porque a estatura, ou a forma do corpo, ou mesmo o andar e a densidade da cor me pareceram outros (se outros não fossem, muito embora houvesse pouca luz naquela noite e o abalo de meus nervos não me inspire confiança).

Só me recordo bem de algumas cenas: o momento em que escutei Antônio descer à sala, por verificar um ruído que me pareceu de porta destravada; o instante em que, em camisa, me penteava e vislumbrei no espelho o visitante, embuçado e armado de facão; a hora em que Antônio entrou em minha câmara, me encontrou já dominada e não pôde reagir; e o lanço final em que — amordaçados e jungidos pelo pescoço numa mesma corda — fomos constrangidos a subir pelo vão do telhado (que o visitante abrira para se introduzir e que estava encoberto por uma grande mangueira).

Ainda teve o cuidado de recolocar as telhas antes de nos fazer descer pela árvore e caminhar até a pocilga.

— Não quero que morram padecendo. Uma noite aqui é provação suficiente. Pelos outros, não pude fazer tanto; mas hão de ter uma morte menos pior —, foi o que disse quando nos abandonou naquela lama, de pés e mãos atados.

Naquele passo, em que pensava tê-lo reencontrado e talvez assistisse ao início de sua execução, não tinha decidido se lhe devia ódio (pela corda; pela mão que me chegou a resvalar nas nádegas; e principalmente pelos porcos) ou gratidão (pela traição aos seus em nosso benefício; pela morte que nos quis poupar). E tentei mais uma vez reconhecê-lo; mas não tive tempo: os guardas arremeteram sobre o povo, que ameaçava se rebelar contra a execução, a pedra e pau. Dei carreira à mula e ao moleque, mas não me livrei de todo de uma ou outra pedrada que repercutia à volta.

Aproveitei para acertar a velha; e, quando olhei para trás, fugida, quem poderia ter sido o visitante já não balançava sob a trave.

25

Antes mesmo que eu me apeasse por completo, já escutava o moleque chamar, com aquele tom de autoridade que não sei bem por que se difundiu em minha escravaria:

— Mande descer o senhor Antunes. É o prelado quem lhe quer falar.

Infelizmente, o senhor Antunes não estava; e a mucama simpática que me beijou a mão franqueou-me não apenas um sorriso como as portas do solar.

A primeira surpresa fui deparar na sala: além de muita guarnição oriental (alfanjes, tapetes, xícaras e outras peças de indiscutível bom gosto), havia uma figura africana do demônio. Cri em sua inocência exatamente nesse instante: só um coração livre de culpa afrontaria a fé com tal despojamento. Mas foi só o início.

Assim que me acomodei e pude tornar meus pensamentos para o assunto daquela visita, vi andarem pés nus sobre o tapete. O que não deveria suscitar maior espanto se o dono dos pés, após um cumprimento respeitoso, não se houvesse dirigido a uma pequena escrivaninha e se pusesse a remexer papéis.

A certa altura, senti que me fitava. Encarei seu rosto com brandura e ele me sorriu, da mesma forma. Então notei que tomava rusticamente de uma pena e traçava com esforço algumas letras.

Vagamente, ouvira dizer daquele escravo. Fora, parece, educado por um padre sírio, da igreja bizantina, que viveu em Salvador, onde Mendo Antunes o adquiriu. Não sei por que o escândalo de alguns sobre o fato de o armador tê-lo feito secretário, se aparentava ser de tão boa índole e tinha tão bons modos.

Não sei se foi aquela boa vontade que me deu, ou a mera curiosidade que nos vem sempre ante o inusitado, ou mesmo o gosto simples de puxar assunto, mas quando dei por mim acabava de indagar do escravo sobre que escrevia com tanto empenho.

— Uma cantiga de negros, padre. Nada que lhe possa interessar.

Achei injusta a resposta, porque sempre me detive sobre toda criação divina, mas não quis debater.

— E o que diz a canção? — continuei.

— Não sei. Não conheço a língua. Tento apenas copiar as palavras, como se fossem portuguesas. A propósito, padre, já esteve em Angola?

Disse que não; e considerei o absurdo de se redigir algo de que não se possa apreender o sentido.

— Talvez mencione o demônio — adverti. — Esse mesmo que ornamenta o aparador do senhor Antunes.

O escravo mudou subitamente de expressão, como se passasse a se interessar pela palestra. E condescendeu:

— Na verdade, sei que é um canto sobre Cariapemba. E me contou a fábula.

— O demônio, portanto — quase gritei, erguendo-me do assento, quando chegou ao fim.

— Não, padre. Uma alegoria do mal. Que quer apenas significar que a quantidade de mal existente no universo é finita e constante. Não diminui; mas também não aumenta. Cariapemba, padre, é uma possibilidade de justiça.

Contestar o equívoco, combater o erro é a função dos ministros de Deus. Falei, assim, da imensa misericórdia divina, da redenção do pecado, da proscrição do mal. Mas o escravo sorriu:

— É aproximadamente a tese do tratado do ouvidor Unhão Dinis.

Estranhei que um escravo estivesse a par do teor de um tratado filosófico e ainda tentasse discuti-lo. Mas logo me lembrei de que estava no Rio de Janeiro.

— Pude assistir — prosseguiu — a alguns debates entre ele e o patrão. Pena não terem compreendido que a perfeita justiça é tão somente a divisão equitativa do mal, finito e eterno, entre os homens.

Talvez tivesse imaginado que eu desistira de argumentar. Mas só calei porque me pus a observar suas mãos. Pois o manuscrito que continha o texto herético em idioma africano ia, junto a lascas de folhas e ervas que não vi de onde retirou, preencher um pequeno odre de couro, costurado à mão, grosseiramente.

— Isso é magia — não pude me conter.

— É verdade, padre.

Vislumbrei subitamente um nexo qualquer entre aquelas ideias, a heresia de Judas e os crimes da irmandade — precisamente o tema da minha próxima entrevista com o armador. Sem ter sido agressivo, sugeri ao escravo seu envolvimento naquilo tudo, por provocação:

— A irmandade — respondeu — quer o máximo de mal sobre os outros, para que nada lhes reste. Não faz mais que o homem comum. Cristóvão, não. Quis assumir todo o sofrimento do mundo. Era um visionário. Eu sempre soube que fracassaria.

Pareceu meditar alguns instantes, antes de continuar:

— Quanto a mim, sempre busquei a igualdade da balança. Por isso, tentei amenizar os suplícios de Cristóvão; tentei suavizar os malefícios da irmandade.

Quis raciocinar, em silêncio. Já não sabia que pensar daquilo: embora parecesse conhecer a irmandade e o herege Cristóvão, falava deles com distanciamento, criticamente até, como quem não pertencesse ao grupo; ou fosse um traidor.

O escravo, agora, escrevia com bastante desenvoltura. Isso me deu ao tino: porque tive plena certeza de que escrevia com a outra mão — e não com a que havia empregado na cópia da cantiga e na confecção do amuleto.

— É uma carta — explicou. — Para o patrão Mendo Antunes. Se o padre decidir aguardá-lo, faça-me o favor de mencioná-la. Ficará aqui, sobre a escrivaninha.

Foi quando vi que retirava (e desse gesto jamais me esquecerei) uma pequena bolsa de sob a camisa e a punha sobre a carta. O tilintar não me enganou: era ouro.

— Não tema, padre. É para a alforria dos cativos. Não faz parte da fortuna do patrão. É um dinheiro que... obtive, por mim.

De repente, arrumou alguns apetrechos e deixou a escrivaninha, indo para o criado-mudo, com o amuleto nas mãos. Porque estivesse de costas, não pude ver, mas intuí que servia vinho em duas taças e manuseava o odre, que depois prendeu às vestes.

— Padre — perguntou —, o senhor já sofreu o bastante?

Respondi que sofri o que os filhos de Deus sofrem e com o que os filhos de Deus têm sofrido.

— Pois eu — veio vindo em minha direção — não tenho sofrido. Vou-me embora por isso. Não basta dividir o mal do mundo sem buscar o meu quinhão.

Meu primeiro impulso foi tentar detê-lo. Mas depois refleti: não seria verossímil que um escravo que vivia como um branco estivesse fugindo. Fitei mais uma vez aquele rosto enigmático, com brandura. E cheio da admiração que me fez mais crer na grandeza divina, capaz de gerar, numa alma ainda submersa nas trevas da idolatria, a pérola da caridade.

— E qual é mesmo seu nome, meu rapaz?

— Pode me chamar Camundele, padre.

De pé, à minha frente, ele me estendia um cálice de bom vinho do reino e bebia o seu. Sorri, arrependido de meus próprios preconceitos; e decidi aceitar.

Nota final

Este romance não é histórico. Não está baseado em nenhuma pesquisa sistemática. Há nele muitos erros crassos, como no caso da reconstituição da cadeia pública — que na época ficava no subsolo da Casa da Câmara, e não no nível da rua, como meu texto insinua. É desnecessário confessar que só descobri isso depois.

Minha recriação do Rio de Janeiro seiscentista não passa de uma mistura de imagens aleatórias, sugeridas por inúmeros livros, que já não consigo relacionar com exatidão.

Apenas no que tange aos episódios africanos — porque era necessária uma certa verossimilhança etnológica — segui a *História geral das guerras angolanas*, do militar português Antônio de Oliveira Cadornega.

Os versos transcritos no capítulo 2, traduzidos pela personagem Mendo Antunes, não são legítimos. Trata-se de um ponto de Seu Zé Pelintra, que eu mesmo adaptei e verti para o quimbundo.

Já não me lembro onde li o mito de Cariapemba, reproduzido no capítulo 21. Posso garantir que não é meu. A interpretação que dele fiz, no entanto, fundamental para o romance, é tendenciosa, arbitrária e pessoal.

Este livro foi composto na tipografia Minion Pro,
em corpo 12/17, e impresso em papel off-white
no Sistema Digital Instant Duplex da
Divisão Gráfica da Distribuidora Record.